Practice Workbook

High School **1**

Español

Santillana

SANTILLANAUSA

Language Education Experts

Índice

Español Santillana. Practice Workbook 1 is a part of the *Español Santillana* project, a collaborative effort by two teams specializing in the design of Spanish-language educational materials. One team is located in the United States and the other in Spain.

Writers
Michele C. Guerrini
Belén Saiz Noeda
Eduardo Fernández Galán

Developmental Editors
Cristina Núñez Pereira
Susana Gómez Sánchez

Editorial Coordinator
Anne Smieszny

Editorial Director
Enrique Ferro

Published in the United States of America.

Español Santillana.
Practice Workbook 1
ISBN-13: 978-1-61605-247-8

Illustrator: **José Zazo**
Picture Coordinator: **Carlos Aguilera**

Production Manager: **Jacqueline Rivera**

Production Coordinators: **Evaristo Moreno Sánchez, Marisa Valbuena, Julio Hernández**

Design and Layout: **Hilario Simón, Pedro Valencia, Jorge Borrego, David Redondo, Elisa Rodríguez**

Proofreaders: **Jennifer Farrington, Liz Pease y Ángeles García**

Photo Researchers: **Mercedes Barcenilla, Amparo Rodríguez**

Santillana USA Publishing Company, Inc.
2023 NW 84th Avenue, Doral, FL 33122

Printed in United States of America by Thomson-Shore, Inc.

20 19 18 17 16   6 7 8 9 10

Preliminary Unit

Contenidos

Nombre: _____   Fecha: _____

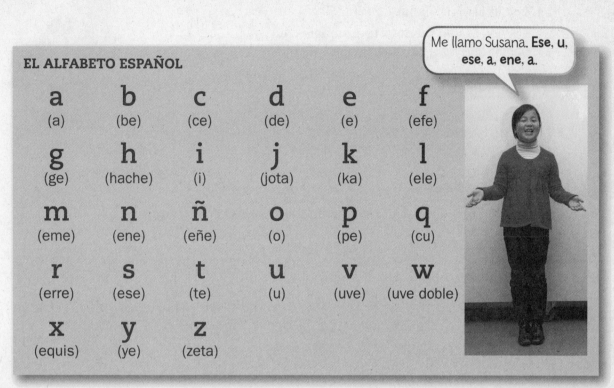

EL ALFABETO ESPAÑOL

a (a)	b (be)	c (ce)	d (de)	e (e)	f (efe)
g (ge)	h (hache)	i (i)	j (jota)	k (ka)	l (ele)
m (eme)	n (ene)	ñ (eñe)	o (o)	p (pe)	q (cu)
r (erre)	s (ese)	t (te)	u (u)	v (uve)	w (uve doble)
x (equis)	y (ye)	z (zeta)			

Me llamo Susana. **Ese, u, ese, a, ene, a.**

1 Deletreamos

▶ **Pronuncia y deletrea.** Say each word aloud. Then spell it.

vaca _uve, a, ce, a_   perra _pe, e, ere, erre, a_

gota _ge, o, te, a_   niño _ene, i, eñe, o_

taxi _te, a, equis, i_   cheque _ce, hache, e, cu, u, e_

2 Rimas

▶ **Relaciona.** Match a word from column A with a word from column B that rhymes with it.

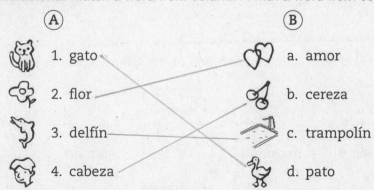

Ⓐ

1. gato
2. flor
3. delfín
4. cabeza

Ⓑ

a. amor
b. cereza
c. trampolín
d. pato

Es una **zampoña.**

3 ## El sonido K de *casa*

▶ **Elige.** Circle the letter that represents the K sound in each word.

1. ⓒalor   3. capital   5. kilómetro   7. chicas

2. cocina   4. chaqueta   6. kilo   8. quince

▶ **Responde.** How many letters represent the K sound in Spanish? Which ones?

letters like c, k and q. Therefore, about 3 Letters represents the 'k' sound
in Spanish.

4 ## ¡A contar!

▶ **Escribe.** Write the number of sounds each one of the following words has.

chico	silla	queso	juguete	hijo	oso
4	3	3	4	2	2

cheque	español	hermano	casa	anillo	amor
3	4	3	3	4	5

Nombre: ....   **Fecha:** ....

SALUDOS Y PRESENTACIONES

Preguntar el nombre a alguien y decir tu nombre

¿Cómo te llamas?	*What's your name?*
Me llamo…	*My name is …*

Presentaciones

Te presento a…	*Let me introduce … to you.*
Mucho gusto.	*It's a pleasure.*
Encantado.	*Nice to meet you. (male)*
Encantada.	*Nice to meet you. (female)*

Hola, ¿cómo te llamas?

Me llamo Cintia.

5   Presentaciones

▶ **Ordena.** Put the following conversations in order.

A.

_4_ Mucho gusto, Felipe.

_2_ Me llamo Ana.

_3_ Encantado, Ana.

_1_ Hola, me llamo Felipe. ¿Cómo te llamas?

B.

_4_ Mucho gusto, Antonio.

_1_ Hola, Jaime.

_3_ Encantado.

_2_ Hola, Sara. Te presento a Antonio.

C.

_5_ Encantado, Raúl.

_2_ Me llamo Laura.

_3_ Mucho gusto, Laura.

_1_ Hola. Me llamo Gustavo. Y tú, ¿cómo te llamas?

_4_ Gustavo, te presento a Raúl.

¡Buenos días, chicos!

SALUDOS

Buenos días.	Good morning.
Buenas tardes.	Good afternoon.
Buenas noches.	Good evening/night.
Hola.	Hello.

6 Saludos

▶ **Escribe.** Look at the time and write an appropriate greeting.

1. 8:25 a. m. _Buenos días_   4. 4:15 p. m. _Buenas tardes_

2. 11:45 p. m. _Buenas noches_   5. 10:45 a. m. _Buenos días_

3. 7:00 p. m. _Buenas noches_   6. 12:20 p. m. _Buenas tardes_

▶ **Escribe.** Write the time and the greeting you would use right now.

Hora: _8:35 pm_   Saludo: _Buenas noches_

7 Un diálogo

▶ **Dibuja y escribe.** Draw a picture of three people meeting. Write a dialogue among them, including greetings and introductions.

Brian: Buenos días Steven!

Steven: Buenos días Brian!

Brian: Steven, te presento a Cindy.

Steven: Hola Cindy! Encantada.

Cindy: Mucho Gusto Steven.

Brian: Steven, Cindy, Hasta pronto

Cindy: Hasta pronto!

Steven: Chao!

Español Santillana. Practice Workbook. Unidad preliminar

Nombre: .... **Fecha:** ....

ADIÓS... Y OTRAS DESPEDIDAS

informal

formal {

Adiós.	Goodbye.	Chao.	Goodbye (informal).
Hasta pronto.	See you soon.	Hasta luego.	See you later.
Hasta mañana.	See you tomorrow.	Hasta la vista.	See you.

Adiós.

8 Despedidas

▶ **Escribe.** Write an appropriate goodbye expression for each of the following situations.

1. They will see each other a little later.

Hasta luego.

Hasta pronto.

3. You'll see them tomorrow.

Hasta mañana.

You

Hasta la vista.

2. You will see them later today.

Hasta luego

You

Hasta pronto

4. They may not see each other again.

Adiós

Chao.

expressions g courtessy

EXPRESIONES DE CORTESÍA

Gracias.	*Thank you.*
De nada.	*You're welcome.*
Por favor.	*Please.*
Lo siento.	*I'm sorry.*

¿Tienes un diccionario, **por favor**?

Sí.

Gracias.

9 ## Cortesía

▶ **Escribe.** Write the expression that best completes each conversation.

1.

GIRL: ¿Quieres un sándwich?

BOY: Sí, gracias.

GIRL: ___De nada___.

2.

WOMAN: Por favor, ¿tienes $1.00?

MAN: ___Sí___.

WOMAN: ___Gracias___.

3.

BOY: ¿Quieres un café?

GIRL: ___Sí, Por favor___.

BOY: Aquí tienes.
     ↳ here you have

4.

BOY: ___Lo siento___, ¿tiene un diccionario?

WOMAN: Sí.

BOY: ___Gracias___.

Español Santillana. Practice Workbook: Unidad preliminar

Nombre: _Minh Anh_   **Fecha:** _28 Aug 2019_

EL SALÓN DE CLASE

la bandera	flag	el estudiante	student (boy)
el cartel	poster	la estudiante	student (girl)
la computadora	computer	el profesor	teacher
el mapa	map	el libro	book
la pizarra	chalkboard	el cuaderno	notebook
la mesa	table	el papel	paper
la silla	chair	el diccionario	dictionary
la puerta	door	el bolígrafo	pen
la ventana	window	el lápiz	pencil
el televisor	television set	el borrador	eraser
el reloj	clock	la mochila	backpack

> El salón de clase tiene **mesas** y **sillas**.

10 Mi salón de clase

▶ **Escribe.** Label the picture using the following words.

- ✓ la bandera
- ✓ el cartel
- ✓ la computadora
- ✓ el mapa
- ✓ la pizarra

- ✓ la mesa
- ✓ la puerta
- ✓ el reloj
- ✓ la silla
- ✓ el televisor

- ✓ la ventana
- ✓ el estudiante
- ✓ la estudiante
- ✓ el profesor
- ✓ la mochila

11 ¡Dibujamos!

▶ **Dibuja.** Read the list and make a drawing of the school supplies that are mentioned.

Cosas para la mochila
2 libros
1 cuaderno
1 lápiz
3 bolígrafos
1 diccionario
1 borrador

12 Clasificar

▶ **Escribe y clasifica.** Classify the following school items, taking into account which of them are usually hung on the wall (*En la pared*) and which are found on the tables (*En las mesas*).

la pizarra   el diccionario   el libro   el mapa   el lápiz

el borrador   el cartel   la bandera   el cuaderno   el reloj

En la pared	En las mesas
la pizarra	el borrador
el cartel	el diccionario
la bandera	el libro
el mapa	el cuaderno
el reloj	el lápiz

13 En tu clase

▶ **Escribe.** Describe what your Spanish classroom looks like.

En mi clase hay _diez mesa y veinte silla. En la mesa de mi profesor de Español, ahi esta mucho libros y diccionario de Español. En mi clase, no th hay el reloj._

Nombre: .... **Fecha:** ....

EXPRESIONES HABITUALES EN EL SALÓN DE CLASE

Siéntense.	Sit down.
Escriban.	Write.
Saquen sus cuadernos.	Take out your notebooks.
Abran los libros.	Open your books.
Cierren los libros.	Close your books.
Entreguen sus papeles.	Turn in your papers.

Instrucciones del libro

Escribe.	Write.	Completa.	Complete.
Lee.	Read.	Corrige.	Correct.
Habla.	Talk.	Relaciona.	Match.
Escucha.	Listen.	Elige.	Choose.

Abran los libros.

14 **¡Atención!**

▶ **Escribe.** Write the command that has to be followed in each case.

Squen sus cuadernos   Cierren los libros   Abran los libros

15 **¿Qué hay que hacer?**

▶ **Relaciona.** Match each instruction with an appropriate drawing.

Relaciona. _5_   Escucha. _4_   Corrige. _1_   Habla. _3_   Lee. _2_

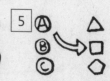

16 Poner orden

▶ **Relaciona.** Match each command with the appropriate situation.

Ⓐ

1. Abran los libros.
2. Siéntense.
3. Entreguen sus papeles.
4. Escriban.
5. Cierren los libros.

Ⓑ

a. The teacher wants the students to write.
b. The books are closed.
c. The books are open.
d. The teacher wants to pick up the exams.
e. Students stand up and talk.

▶ **Responde.** Which of these commands does your teacher use more frequently?

Mi Escriban y Abran los libros.

17 Yo soy el profesor

▶ **Escribe.** Imagine that you're "teacher for a day." Read the following situations and write the command you would give to your students.

1. You come into the class, all the students stand up and talk.

   You say: Siéntense, por favor.

2. Your students are taking a test but time is up.

   You say: Entreguen sus papeles, por favor.

3. You want your students to watch a video without looking at the text in the book.

   You say: Cierren los libros, por favor.

18 Muchas instrucciones

▶ **Completa.** Complete the instructions with the appropriate command.

1. ▶ Completa . Complete the sentences with words from the boxes.

2. ▶ Corrige . Correct the spelling mistakes in the sentences.

3. ▶ lee y completa . Read the text and answer the questions.

4. ▶ Habla . Talk to a partner about your daily routine.

5. ▶ Escucha . Listen to the spelling of these words.

6. ▶ Relaciona . Match each word with an appropriate picture.

Nombre: _Minh Anh_   **Fecha:** _8/28/19_

HACER PREGUNTAS (I)

- There are questions that can be answered with yes or no:

  –¿Estudias Español?   –Do you study Spanish?
  –Sí.   –Yes.

  –¿Tienes un cuaderno?   –Do you have a notebook?
  –No, lo siento.   –No, I'm sorry.

- In Spanish, there are opening and closing question marks.

¿Tienes un lápiz?

Sí.

19 ¿Son preguntas?

▶ **Elige.** Mark if the following sentences are questions.

☐ Estudio Español.
☑ ¿Tienes una mochila?
☐ Tienes una mochila muy bonita.
☑ ¿Puedo ir al baño, por favor?
☐ Sí, gracias.

20 ¡Qué preguntas!

▶ **Relaciona.** Match each dialogue with a photo. Write the number of the dialogue below the corresponding photo.

1
MARÍA: ¿Tienes un papel?
JUAN: Sí.
MARÍA: Gracias.

2
SARA: ¿Estudias Español?
IVÁN: No. Estudio Ciencias Naturales.

3
RAÚL: ¿Puedo ir al baño?
PROFESOR: No, lo siento.

_2_

_1_

_3_

HACER PREGUNTAS (II): LOS INTERROGATIVOS

¿**Quién** es Alan?	Who is Alan?
¿**Qué** significa *lápiz*?	What does *lápiz* mean?
¿**Dónde** está el diccionario?	Where is the dictionary?
¿**Cómo** se dice *please* en español?	How do you say please in Spanish?
¿**Cuándo** es la clase de Español?	When is the Spanish class?

¿**Dónde** está mi mochila?

En la mesa.

---

21 **Preguntas y respuestas**

▶ **Relaciona.** Match each question in column A with the appropriate answer in column B.

Ⓐ

1. ¿Quién es Frank?
2. ¿Qué estudia Tomás?
3. ¿Cuándo es la clase de Inglés?
4. ¿Dónde está Frank?
5. ¿Cómo se dice *thank you* en español?

Ⓑ

a. Está en el salón de clase.
b. Se dice *gracias*.
c. Estudia Geografía.
d. Es el profesor de Español.
e. Es el jueves.

---

22 **¿Interrogativo?**

▶ **Completa y escribe.** Complete the sentences with a question word. Then answer them.

1. ¿ _____Cómo_____ te llamas?

   _____Me llamo Minh Anh._____

2. ¿ _____Cómo_____ se dice *borrador* en inglés?

   _____Se dice erasor_____

3. ¿ _____Qué_____ estudias tú?

   _____Estudias Ingles y Física._____

4. ¿ _____Cuándo_____ es tu cumpleaños?

   _____Mi cumpleaños es veintitrés de febrero_____

---

23 **Yo pregunto**

▶ **Escribe.** Write three questions you would like to ask your teacher.

   1) ¿Cómo se dice phone en español?
   2) ¿Cuándo es tu cumpleaños?
   3) ¿Qué dia es tu favorito día?

Nombre: _____   **Fecha:** _____

DÍAS Y FECHAS

lunes	Monday	viernes	Friday
martes	Tuesday	sábado	Saturday
miércoles	Wednesday	domingo	Sunday
jueves	Thursday		

Los meses del año

enero	January	mayo	May	septiembre	September
febrero	February	junio	June	octubre	October
marzo	March	julio	July	noviembre	November
abril	April	agosto	August	diciembre	December

Números 0-31

0	cero	8	ocho	16	dieciséis	24	veinticuatro
1	uno	9	nueve	17	diecisiete	25	veinticinco
2	dos	10	diez	18	dieciocho	26	veintiséis
3	tres	11	once	19	diecinueve	27	veintisiete
4	cuatro	12	doce	20	veinte	28	veintiocho
5	cinco	13	trece	21	veintiuno	29	veintinueve
6	seis	14	catorce	22	veintidós	30	treinta
7	siete	15	quince	23	veintitrés	31	treinta y uno

24 Los nombres de los números

▶ **Escribe.** Write the names of the following numbers.

16 _dieci séis_

9 _nueve_

27 _veinti siete_

30 _treinta_

5 _cinco_

14 _catorce_

8 _ocho_

22 _veintidós_

DECIR LA FECHA

- To say *the current day:*
  Hoy es viernes, doce de septiembre.
  Hoy es seis de marzo.
- To say *another date or day:*
  El quince de octubre.   El domingo.

Hoy es treinta y uno de octubre.

25 Días, meses, fechas
months

▶ **Completa.** Complete the crossword puzzle with the appropriate words.

HORIZONTAL
1. The first month of the year.
2. Number of months in a year.
3. Last day of the week.

VERTICAL
4. A summer month.
5. Number of days in a week.
6. The first day of school each week.

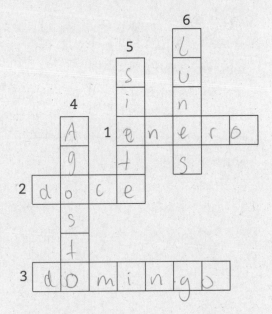

26 Días y meses locos

▶ **Ordena y escribe.** Write the days and months of each group in order.

1. domingo – sábado – viernes _viernes, sábado, domingo_
2. miércoles – lunes – martes _lunes, martes, miércoles_
3. agosto – julio – junio _junio, julio, agosto_
4. noviembre – octubre – diciembre _octubre, noviembre, diciembre_

27 Año académico

▶ **Escribe.** Write the dates.

1. Start of the new school year: _martes, once de Agosto_
2. Halloween: _el treinta y uno de Octubre_
3. Beginning of winter break: _el quince de Da diciembre_
4. Valentine's Day: _el catorce de Febrero_

Nombre: .... **Fecha:** ....

EL HORARIO ESCOLAR

Ciencias Naturales	*science*	Educación Física	*physical education*
Matemáticas	*mathematics*	Español	*Spanish*
Música	*music*	Inglés	*English*
Ciencias Sociales	*social studies*		

Decir la hora

¿Qué hora es?	*What time is it?*
Es la una.	*It's one o'clock.*
Son las tres.	*It's three o'clock.*
Son las tres y cuarto.	*It's a quarter past three.*
Son las tres y media.	*It's three thirty.*
Son las cuatro menos cuarto.	*It's a quarter to four.*

Decir a qué hora sucede algo

¿A qué hora es...?	*At what time does ... take place?*
A la una.	*At one.*
A las tres.	*At three.*

¿A qué hora es la clase de **Música**?

A las cinco y media.

---

28 **¿Qué clase? ¿A qué hora?**

▶ **Observa y escribe.** Look at the pictures and write down the name of the subject and the time it takes place.

Matemáticas
Son las diez menos
        cuarto.
my

Ciencias Sociales
Son las once

Educación Física
Son las cuatro y
        media

29 **Mis clases**

▶ **Responde.**

1. ¿A qué hora es tu clase de Español?   A las dos

2. ¿A qué hora es tu clase de Matemáticas? A la nueve y media

30 El horario de Sandra

▶ **Lee y completa.** Read the text Sandra wrote about her schedule and complete the table with the appropriate information.

Mi horario

La clase de Español es a las nueve de la mañana. A las diez menos cuarto es la clase de Matemáticas. Luego, la clase de Arte: a las diez y media. A las once y cuarto, el almuerzo. A las doce y cuarto es la clase de Ciencias Sociales. ¡Y a la una, la clase de Educación Física!

Español	9:00 a. m.
Matemáticas	9:45 am
Arte	10:30 am
Almuerzo	11:15 am
Ciencias Sociales	12:15 am
Educación Física	1:00 pm

31 Mi horario escolar

▶ **Escribe.** Write your school schedule in the table. Write the subjects you have and the times too.

Arte	Ciencias Naturales	Educación Física	Matemáticas
Inglés	Ciencias Sociales	Español	Música

MATERIA	HORA
Inglés	Son las doce menos cuatro
Física	Son las nueve y media
Español	Son las once
Matemáticas	Son las ocho
Educación Física	Son las doce menos cuatro

32 ¿Qué tienes ahora?

▶ **Responde.** Answer questions about your schedule.

1. Son las ocho y cuarto. ¿Qué clase tienes? _yo tengo clase de Matemáticas_

2. Es la una y media. ¿Qué clase tienes? _yo tengo clase de Inglés_

Nombre: .... Fecha: ....

EL TIEMPO Y LAS ESTACIONES

¿Qué tiempo hace?

Hace sol.	It's sunny.
Hace calor.	It's hot.
Hace frío.	It's cold.
Hace viento.	It's windy.
Está nublado.	It's cloudy.
Llueve.	It's raining.
Nieva.	It's snowing.

Las estaciones

la primavera	spring
el verano	summer
el otoño	autumn
el invierno	winter

¡El verano es genial!

Sí, **hace sol** y **calor**.

33 ¿Hace sol?

▶ **Escribe.** Write what the weather is like under each photo. Use the expressions in the box.

hace sol	hace viento	hace frío	está nublado	llueve	nieva

1 hace sol

3 Nieva

5 hace frío

2 está nublado

4 llueve

6 hace viento

34 **¿Qué estación?**

▶ **Escribe.** Write the name of the season it is on each of the following dates. Then, write what the weather is usually like where you live on that day.

1. El uno de enero es _el invierno_
   — En uno de enero, hace mucho o frío .

2. El nueve de noviembre es _el otoño_
   — En nueve de noviembre hace viento. .

3. El cuatro de abril es _la primavera_
   — En cuatro de abril hace sol .

4. El quince de julio es _el verano_
   — En quince de julio hace calor .

35 **¿Qué es extraño?**

▶ **Lee y corrige.** Read the following weather information and correct it according to the usual weather conditions in each season.

1. Hoy, veintisiete de enero, es invierno en Toronto, Canadá. Hace calor y no nieva.
   Hoy, veintisiete de enero, es invierno en Toronto, Canadá. Hace frío y nieva .

2. Hoy, siete de julio, es verano en Miami, Florida. Nieva y hace frío.
   Hoy, siete de julio, es verano en Miami, Florida. Hace calor y no nieva .

3. Hoy, dos de diciembre, es otoño en Denver, Colorado. Hace calor y sol.
   Hoy, dos de diciembre, es invierno en Denver, Colorado. Hace frío y nieva .

4. Hoy, quince de mayo, es primavera en San Diego, California. Llueve y hace frío.
   Hoy, quince de mayo, es primavera en San Diego, California. Hace sol y viento .

36 **El tiempo hoy**

▶ **Dibuja y escribe.** Draw a picture of the weather today where you live. Describe the weather and write the season, the date, and the time.

Hoy, veintiocho de agosto, es
verano en Houston, Texas.
El tiempo hoy es hace calor
y mucho llueve. A las ocho,
tiempo hoy hace mucho calor.
Esta tarde, tiempo hoy llueve
mucho.

Español Santillana. Practice Workbook. Unidad preliminar

Nombre: _____ **Fecha:** _____

ESTRATEGIAS

1. **Use what you know.** You may already know some Spanish words like *hola*, *adiós*, or *fiesta*.

2. **Look at the cognates.** Cognates look similar in English and in Spanish and have the same meaning. Beware of false cognates: they look alike but have a different meaning.

3. **Learn vocabulary.** Find your own way to learn words. Flashcards, lists, podcasts, and games may help you.

4. **Recognize prefixes and suffixes.** They are added to the beginning or end of a word and have a specific meaning.

5. **Check the dictionary.**

6. **Use Spanish every day.**

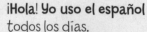

¡Hola! Yo uso el español todos los días.

37 El juego de los nombres españoles

▶ **Completa.** Complete the table with Spanish words.

ESTACIONES DEL AÑO *seasons of the year*	MATERIAL ESCOLAR *school materials*	DÍAS DE LA SEMANA *days of the week*	MESES DEL AÑO *months of the year*
la primavera	el borrador	lunes	enero
el verano	el libro	martes	Febrero
el otoño	el bolígrafo	miércoles	Marzo
el invierno	el lápiz	jueves	Abril

38 Cognados

▶ **Escribe.** Write the meaning of these cognates.

1. comunidad _____community_____
2. celebración _____celebration_____
3. especial _____special_____
4. excelente _____excellent_____
5. cafetería _____cafeteria_____
6. actividad _____activity_____

Uso lo que sé

▶ **Lee y elige.** Read the following text and mark if the sentences are true (*C*) or false (*F*).

El blog del profesor de Español

Alameda, California. Día ocho de septiembre.

Pronóstico del tiempo para hoy: sol y calor. Temperaturas superiores a 80 ^{0}F.

Queridos estudiantes de la comunidad de Fairmount:

Mi nombre es Andrés Montesinos. Soy el profesor de Español. Normalmente, la clase de Español es el lunes a las tres, el martes a las nueve y media y el miércoles a las once.

Hoy lunes, la clase es especial. Va a ser una celebración española en la cafetería. Tenemos comida típica de España: paella, tortilla y gazpacho. Pueden beber agua y limonada.

En la cafetería a las tres y media.

Hasta luego,

Andrés

---

1. It's hot in Alameda: more than eighty degrees Fahrenheit.   C   F
2. The text is written September the ninth.   C   F
3. Andrés Montesinos teaches French and Spanish.   C   F
4. Usually, there is Spanish class Mondays, Thursdays and Fridays.   C   F
5. On Tuesdays, Spanish class starts at nine thirty.   C   F
6. The special celebration is taking place in the cafeteria.   C   F

▶ **Responde.** Answer the following questions with information from the text.

1. What are typical Spanish dishes?

_____.

2. What can students drink in the cafeteria?

_____.

3. At what time does the special celebration begin?

_____.

4. Who is the blog addressed to?

_____.

5. What is the weather like in Alameda?

_____.

El juego del conocimiento

Nombre: .... **Fecha:** ....

40 Letras y sonidos

▶ **Escribe.** Write Spanish words that have the following letters.

a	r	e	p
_____	_____	_____	_____

41 ¡Hola!

▶ **Escribe.** Write an appropriate greeting for each occasion.

1 _____ 2 _____ 3 _____

42 ¡Adiós!

▶ **Relaciona.** Match each goodbye expression with an appropriate use.

A
1. Adiós.
2. Hasta luego.
3. Hasta mañana.

B
a. You are seeing this person again today.
b. You think you will never see this person again.
c. You will see this person again tomorrow.

43 Cosas de clase

▶ **Dibuja.** Draw the following school supplies.

cuaderno   lápiz   mochila   bolígrafo

44 ¡A la orden!

▶ **Relaciona.** Match each instruction with an appropriate drawing.

Corrige. _____ Escribe. _____ Escucha. _____ Lee. _____

1   2   3   4

45 **¡Qué preguntas!**

▶ **Relaciona.** Match each question with an appropriate answer.

Ⓐ   Ⓑ

1. ¿Tienes un bolígrafo?   a. Es la profesora de Español.
2. ¿Estudias Inglés?   b. Sí.
3. ¿Cómo te llamas?   c. No, estudio Geografía.
4. ¿Quién es María?   d. Me llamo Juan.

46 **Días, meses, años**

▶ **Escribe.** Write the dates.

1. Beginning of spring: _____.

2. Beginning of autumn: _____.

3. Today: _____.

47 **¡Clase de Español!**

▶ **Responde.** Answer the questions about your schedule.

• ¿A qué hora tienes clase de Español?

_____.

• ¿Qué días tienes clase de Español?

_____.

48 **¿Ya es primavera?**

▶ **Escribe.** Write the season it is in your town on the following dates.

• El quince de julio. _____.

• El doce de enero. _____.

49 **Aprender a aprender**

▶ **Elige.** Mark the things you can do to improve your Spanish.

☐ Listen to Spanish music.
☐ Watch American movies in English but with Spanish actors.
☐ Talk in Spanish with your partners.
☐ Never use the dictionary.

Nombre: _____ Minh Anh _____ **Fecha:** _2/4/19_

EMPIEZAN LOS DESAFÍOS

1 **¿Recuerdas?**

▶ **Lee y relaciona.** Read the dialogues and match each one with the corresponding photo.

1. —¡Hola!
   —¡Hola! Buenos días.   **B**

2. —¡Adiós!
   —¡Hasta mañana!   **C**

3. —Te presento a Jaime.   **A**
   —Hola, Jaime.
   —Mucho gusto.

4. —¿Tienes un lápiz?   **D**
   —Sí.
   —Muchas gracias.
   —De nada.

A

C

B

D

2 En clase

▶ **Escribe.** Write the noun and the correct article (*el*, *la*) according to the picture.

1. El profesor

2. _la profesora_

3. _la estudiante_

4. _el estudiante_

EXPRESIONES ÚTILES

3 Nos presentamos

▶ **Relaciona.** Match each expression in column A with the appropriate function in column B.

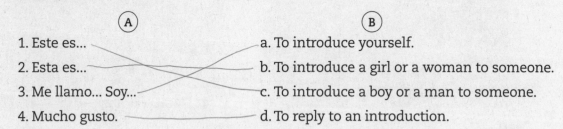

Ⓐ

1. Este es...
2. Esta es...
3. Me llamo... Soy...
4. Mucho gusto.

Ⓑ

a. To introduce yourself.
b. To introduce a girl or a woman to someone.
c. To introduce a boy or a man to someone.
d. To reply to an introduction.

▶ **Lee y completa.** Read and complete the following dialogues.

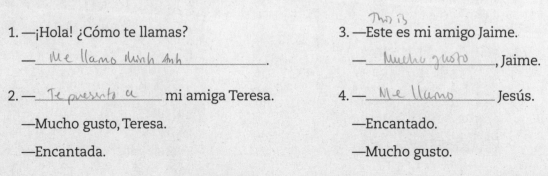

1. —¡Hola! ¿Cómo te llamas?

— _Me llamo Minh Anh_ .

2. — _Te presento a_ mi amiga Teresa.

—Mucho gusto, Teresa.

—Encantada.

3. —Este es mi amigo Jaime.

This is

— _Mucho gusto_ , Jaime.

4. — _Me llamo_ Jesús.

—Encantado.

—Mucho gusto.

Nombre: ....   **Fecha:** ....

LAS PERSONAS

el hombre	*man*
la mujer	*woman*
el niño, el chico	*boy*
la niña, la chica	*girl*
el amigo, la amiga	*friend*
el novio	*boyfriend*
la novia	*girlfriend*
los novios	*couple*
el fan, la fan	*fan*

La familia

el padre (el papá)	*father*
la madre (la mamá)	*mother*
los padres	*parents*
el hijo	*son*
la hija	*daughter*
los hijos	*children*
el hermano	*brother*
la hermana	*sister*
los hermanos	*siblings*

Hola. Yo soy María y ella es mi **amiga** Sara. ¿Tú eres **hermano** de Rafa?

---

4   **¿Quiénes son?**

▶ **Escribe.** Write the words below next to the appropriate picture.

| los chicos ✓ | los niños | los hermanos | la mujer | los amigos | la hija | el hombre | la madre |

1   _____los chicos_____

4   _____

2   _____
        _____

5   _____

3   _____

6   _____
        _____

5 ¿Quién habla?

▶ **Escribe.** Read what the people in the pictures of activity 4 say and match each sentence with a photo.

a. ¡Hola! Soy Cristina y él es mi amigo Javier. _____foto 1_____

b. Yo soy Sandra. Ella es mi hija Pilar. _____

c. Nosotros somos Javier y Felipe. Somos hermanos. _____

d. Yo soy Carlos y ella es mi hermana Carmen. _____

e. ¡Hola! Yo soy Alfonso y ellos son mis amigos. _____

f. —¿Qué tal? Soy Manuel. _____

  —¡Hola! Yo soy Laura.

6 Relaciones

▶ **Escribe.** Complete the following sentences according to the pictures.

1. La _chica_ se llama Marta y el _____ se llama Juan. Marta y Juan son _____.

2. Lucas y Rocío son los _____ de los señores Roldán. Julio Roldán es el _____ y Eva es la _____. Lucas y Rocío son _____.

7 Mucho gusto

▶ **Ordena y escribe.** Put the conversation in order and rewrite the sentences.

Mucho gusto, Carmen.	—_____
Hola, Carmen.	—_____
Carmen, este es mi hermano Julio.	—_____
Encantada, Julio.	—_____
Hola, Cristina.	—_____

Nombre: ....   **Fecha:** ....

LOS PRONOMBRES PERSONALES SUJETO

yo	I	nosotros nosotras	we
tú	you (informal)	vosotros vosotras	you (informal)
usted	you (formal)	ustedes	you
él	he	ellos	they
ella	she	ellas	they

Yo soy Clara y ellas son mis amigas. Nosotras somos de México.

8   Yo soy Jim

▶ **Lee y subraya.** Read the dialogues and underline the subject pronouns.

Hola, yo soy Jim Scotch.
¿Son ustedes los señores Flórez?

Yo soy Jim y ellos son mis amigos Bill y Nicholas. ¿Tú eres Jimena?

Sí, yo soy Antonio Flórez
y ella es mi esposa Rosario.

▶ **Relaciona.** Match the pronoun that Jim uses in each case.

1. To talk **about** himself.
2. To talk **to** Mr. and Mrs. Flórez.
3. To talk **about** his friends.
4. To talk **to** Jimena.

tú
ellos
yo
ustedes

9 **¿Quién es?**

▶ **Relaciona.** Match each of the following sentences with a picture. Then write the corresponding pronoun under each picture.

a. Ella es mi amiga Lina. Es de los Estados Unidos. ___1___

b. Yo no soy Santiago Cruz, soy Ricardo Flores. _____

c. ¿Es usted la señora Gutiérrez? _____

d. Nosotras somos amigas de Janet. _____

1. __ella___

e. ¿Tú eres la hermana de Andy? _____

2. _____ 3. _____ 4. _____ 5. _____

10 **¿Tú o usted?**

▶ **Elige y escribe.** Decide whether each shaded character would use *tú* or *usted* and write it.

1. _____ 2. _____ 3. _____ 4. _____

11 **Luis y Carmen son ellos**

▶ **Escribe.** Write a sentence replacing the people with a pronoun.

1. **Luis y Carmen Pérez** son los padres de Marisa.

⇒ __Ellos son los padres de Marisa._____

2. **Teresa** es la hermana de Rafa.

⇒ _____.

3. **¿Roberto y tú** son estudiantes?

⇒ _____.

Nombre: ....   **Fecha:** ....

EL VERBO SER			
yo	soy	nosotros nosotras	somos
tú	eres	vosotros vosotras	sois
usted él ella	es	ustedes ellos ellas	son

Yo **soy** Bob y él **es** mi amigo Johnny. Nosotros **somos** estudiantes de Español.

12   Los amigos de Bob

▶ **Relaciona.** Form sentences by matching words from column A with a phrase from column B.

Ⓐ

1. Johnny y yo
2. Johnny
3. Yo
4. Lupe y Alicia
5. Bob, ¿tú

Ⓑ

a. soy amigo de Johnny.
b. son las amigas mexicanas de Bob.
c. es estudiante de Español.
d. eres amigo de Alejandro?
e. somos amigos.

13   Son de México

▶ **Completa.** Fill in the blanks with the correct form of the verb *ser*.

1. Ella _____ Salma Hayek.   3. Nosotros _____ Maná.   5. Yo _____ Lila Downs.

2. Nosotras _____ Julieta Venegas y Paulina Rubio.

4. Él _____ Rafa Márquez.

6. Ellos _____ Belanova.

14 Piezas y frases

▶ **Ordena y escribe.** Put the words in order and write correct sentences.

1. Clara | mis | son | y | amigos. | Juan

   ⇒ _____

2. no | hermanos | Javier. | somos | de | Nosotros

   ⇒ _____

3. es | novio. | de | la | chico | El | foto | mi

   ⇒ _____

4. ¿Ustedes | Pablo | hijos | son | y | los | Mercedes? | de

   ⇒ _____

15 Ser o no ser

▶ **Responde.** Armando is having trouble remembering facts about his favorite Mexican celebrities. Answer the questions and correct his mistakes.

1. —¿Salma Hayek es de Cuba? (México)

   — _No, ella no es de Cuba. Es de México._____.

2. —¿Rafa Márquez es un músico mexicano? (futbolista mexicano)

   — _____.

3. —¿Los componentes de Maná son hermanos? (amigos)

   — _____.

4. —¿Lila Downs es actriz? (cantante)

   — _____.

5. —¿Tú eres de México?

   — _____.

16 Personas de tu vida

▶ **Escribe.** Write three sentences about three people you know. Use the verb *ser*.

1. _____.

2. _____.

3. _____.

Nombre: ....   **Fecha:** ....

17 ¡Qué lío!

▶ **Lee y escribe.** A group of friends all start speaking at once. Read the following speech bubbles and copy them below to make two conversations.

> Encantado, Daniel.

> Mucho gusto, Alberto.

> ¿Es usted el señor Gutiérrez?

> Encantado.

> Hola, Ángela.

> Yo soy Antonio Pérez.

> Mucho gusto.

> Sí, soy Juan Gutiérrez.

> Daniel, este es mi novio, Alberto.

> Hola, Daniel.

A

ÁNGELA: _____

DANIEL: _____

ÁNGELA: _____

DANIEL: _____

ALBERTO: _____

B

ANTONIO PÉREZ: _____

JUAN GUTIÉRREZ: _____

ANTONIO PÉREZ: _____

JUAN GUTIÉRREZ: _____

ANTONIO PÉREZ: _____

18 Situaciones

▶ **Completa.** It's too noisy in the subway station and some words can't be heard clearly. Fill in this conversation with correct forms of the verb *ser* and correct pronouns.

SEÑOR HIDALGO: Buenos días. ¿Es _____ la señora Gómez?

SEÑORA GÓMEZ: Sí, _____ Isabel Gómez.

SEÑOR HIDALGO: _____ soy Alfonso Hidalgo y _____ es mi

esposa, Teresa. Nosotros _____ los padres de Samuel y Elena.

SEÑORA GÓMEZ: Mucho gusto. ¿Son _____ de México?

SEÑOR HIDALGO: Sí, _____ mexicanos.

19 Soy Sheila

▶ **Lee.** Read this introduction that Sheila has written in an *Amigos de México* blog.

Esta soy yo

Hola, soy Sheila Wilson. Soy de los Estados Unidos. Soy estudiante de Español en la escuela superior Reilly de New Jersey. Soy del club de Español de mi escuela y también soy fan del equipo de fútbol. ¡Soy una fanática del fútbol!

Mis padres se llaman Bryan y Katherine. Mi padre es doctor y mi madre es profesora. Mis hermanos se llaman Tom y Phil.

Mi familia mexicana es la familia Mendes. El padre se llama Carlos y la madre es Teresa. Los hijos son Roberto, Ana y Diego. Son de Veracruz. ¡Son muy simpáticos!

▶ **Elige y completa.** Choose the correct answer and complete each sentence.

1. Sheila es _____

   a. de México.   b. de Veracruz.   c. de los Estados Unidos.

2. Bryan es _____

   a. el señor Mendes.   b. el hermano de Sheila.   c. el padre de Sheila.

3. Carlos Mendes es _____

   a. el padre de Sheila. b. el esposo de Katherine. c. el padre de Ana.

4. Katherine Wilson es _____

   a. de Veracruz.   b. la madre de Phil.   c. doctora.

Nombre: ....   **Fecha:** ....

CARACTERÍSTICAS FÍSICAS		RASGOS DE PERSONALIDAD	
alto(a)	tall	simpático(a)	friendly
bajo(a)	short	antipático(a)	unfriendly
delgado(a)	thin		
gordo(a)	fat	gracioso(a)	funny
atlético(a)	athletic	serio(a)	serious
bonita	pretty		
guapo(a)	handsome, pretty	tímido(a)	shy
feo(a)	ugly	atrevido(a)	daring
		espontáneo(a)	spontaneous
moreno(a)	brunet(te)		
rubio(a)	blond(e)		
pelirrojo(a)	red-haired	estudioso(a)	studious
		inteligente	intelligent
joven	young	creativo(a)	creative
mayor	old, older		
viejo(a)	old		

Lara y yo somos **morenas.** Lara es **simpática** y **divertida.**

20 **¿Cómo son?**

▶ **Escribe.** Write the words below according to the person they describe.

seria   atlético   delgada   estudioso   gracioso

① ② ③ ④ ⑤

1. _____
2. _____
3. _____
4. _____
5. _____

▶ **Clasifica.** Separate the adjectives into **Características físicas** and **Rasgos de personalidad** and add one more.

CARACTERÍSTICAS FÍSICAS	RASGOS DE PERSONALIDAD

Ella y él

▶ **Clasifica.** Write the adjectives that describe each person. Pay attention to the endings.

delgado ✓	alta		bonita		simpática	
	moreno	atlético		rubia		estudioso

1. _____
2. _____
3. _____
4. _____

1. ___delgado___
2. _____
3. _____
4. _____

22 **Contrarios**

▶ **Escribe.** Write the opposites for each adjective.

	alto			**mayor**	
	_____ bajo			_____	

	delgado			**tímida**	
	_____			_____	

	simpática			**fea**	
	_____			_____	

23 **Mexicanos famosos**

▶ **Escribe.** Write three adjectives for each person.

1. Gael García es _____, _____

    y _____.

2. Eva Longoria es _____, _____

    y _____.

Nombre: ....   **Fecha:** ....

LOS ADJETIVOS

Spanish adjectives can be masculine or feminine, singular or plural.

▶ The feminine of an adjective is formed this way:

Masculine form	Femenine form
Ends in -o.	Changes -o to -a. simpático → simpática
Ends in -e or a consonant.	Does not change. inteligente → inteligente joven → joven

▶ The plural form is developed from the singular form:

Singular form	Plural form
Ends in a vowel.	Adds -s. simpática → simpáticas
Ends in a consonant.	Adds -es. joven → jóvenes

¡Ana y yo somos **altas, graciosas** y muy **guapas**!

24 Alto, simpática y jóvenes

▶ **Elige.** Circle the adjective that agrees in gender and number.

1. La madre de Janet es (joven) / jóvenes.
2. El profesor de Matemáticas es seria / serio.
3. La hija del profesor es tímido / tímida.
4. Los estudiantes de Español son estudiosas / estudiosos.
5. Las hermanas de Orlando son rubios / rubias.
6. Ustedes son inteligente / inteligentes.

25 Ellos y ellas

▶ **Completa el cuadro.** Fill in the chart below with the different forms of the adjectives.

Masculino singular	Femenino singular	Masculino plural	Femenino plural
pelirrojo			pelirrojas
gracioso			
			creativas
		espontáneos	
	atrevida		

26 **¿Morenos o morenas?**

▶ **Completa.** Complete the following sentences using the adjective that best describes each picture.

bajo ✓	atrevido	gordo	gracioso
alto ✓	serio	estudioso	mayor

1.

1. Sonia es __baja__ y Orlando es __alto__ .

2. La policía es muy _____ .

4.

2.

3. Las chicas son _____ .

4. Los señores Rico son _____ .

5.

3.

5. Los payasos son _____ y _____ .

6. Los niños son muy _____ .

6.

27 **Uno o dos**

▶ **Escribe.** Rewrite each sentence using the appropriate singular or plural form.

1. María es delgada.   ⇒ María y Paz _son delgadas._____

2. Luis y Lisa son listos y guapos. ⇒ Lisa _____ .

3. Abraham es serio.   ⇒ Abraham y Jaime _____ .

4. Santiago y Rafael son tímidos.   ⇒ Rafael _____ .

5. Yo soy rubio.   ⇒ Jim y yo _____ .

6. Patty es antipática.   ⇒ Patty y Sonia _____ .

7. El señor Gil es joven.   ⇒ El señor Gil y Juan _____ .

Español Santillana. Practice Workbook. Unidad 1

Nombre: ....   **Fecha:** ....

28 **¿Cómo se llaman?**

▶ **Lee y completa.** Read the descriptions and write each person's name.

a. Marisa es morena y alta.

b. Juan es alto, moreno y gracioso.

c. Silvia es alta y rubia.

d. Marcos es pelirrojo y simpático.

e. Pedro es bajo, rubio y serio.

f. Andrea es baja y rubia.

1. _____   3. _____   5. _____

2. _____   4. _____   6. _____

29 **No es correcto**

▶ **Corrige y escribe.** Find the five errors Julieta made and correct them.

CORREGIR

hispana

Me llamo Julieta. Soy de Texas. Mi familia es ~~hispano~~,
de México. Soy baja, morena y tímido.
Tengo dos hermanos, Jorge y Max. Son muy estudiosas.
Mis padres son jóvenes.
Mi novio se llama Arturo. Es delgado, atléticos
¡y muy guapa!

1. _____.

2. _____.

3. _____.

4. _____.

5. _____.

30 **¿Y tú?**

▶ **Escribe.** Rewrite Julieta's composition. Make it apply to you.

_____

_____

_____

31 **Mi familia en España**

▶ **Lee y escribe.** Gina's friend Jean wrote her a letter describing her host family in Spain, but she sent her the wrong picture. Read the letter and write the differences between the letter and the picture.

¡Hola, Gina!

¿Qué tal? Esta es mi familia española.

El señor Sánchez es alto, moreno y serio. La señora Sánchez se llama Elena. Ella es rubia y delgada, muy joven y muy simpática.

Mis «hermanos» se llaman Javier y Maite. Javier es alto y moreno, muy atlético. Maite es baja y rubia. Javier y Maite no son espontáneos ni graciosos: ¡son muy tímidos!

¿Qué tal tu familia mexicana?

Un beso,

Jean

El señor Sánchez es alto y moreno. El hombre de la foto es bajo y rubio.

_____

_____

_____

_____

32 **Mi gente**

▶ **Escribe.** Think of a person you admire. This person could be a friend, family member, or famous person. Draw him or her and describe your drawing.

Nombre: ....   **Fecha:** ....

LA FAMILIA

el padre (el papá)	*father*	el nieto	*grandson*
la madre (la mamá)	*mother*	la nieta	*granddaughter*
los padres	*parents*	el tío	*uncle*
el hijo	*son*	la tía	*aunt*
la hija	*daughter*	el sobrino	*nephew*
los hijos	*children*	la sobrina	*niece*
el hermano	*brother*	el primo, la prima *cousin*	
la hermana	*sister*		
los hermanos	*siblings*	**Las mascotas**	
el abuelo	*grandfather*	la mascota	*pet*
la abuela	*grandmother*	el perro	*dog*
los abuelos	*grandparents*	el gato	*cat*

¿Tú tienes **hermanos**?

No tengo **hermanos**, pero tengo tres **primos** y dos **primas**.

---

33 **Buscamos el intruso**

▶ **Elige.** Circle the word in each series that doesn't belong.

1. padres / (gatos) / hijos

2. abuelo / nieto / primo

3. hermana / tía / sobrina

4. mamá / mascota / hija

5. perro / papá / hijo

---

34 **Los chicos con los chicos, las chicas con las chicas**

▶ **Escribe.** Rewrite the following sentences, changing the people in them to the opposite gender.

1. El primo de Jaime es mi hermano.   ⇒ La prima de Jaime es mi hermana .

2. La abuela de Teresa es mi hermana. ⇒ _____ .

3. La hermana de Juan es mi abuela.   ⇒ _____ .

4. El sobrino de Ana es mi padre.   ⇒ _____ .

5. La hija de Julia es mi sobrina.   ⇒ _____ .

6. El padre de José es mi tío.   ⇒ _____ .

La familia de Roberto Márquez

▶ **Lee y completa.** Fill in the blanks with the correct relationship according to the Márquez's family tree.

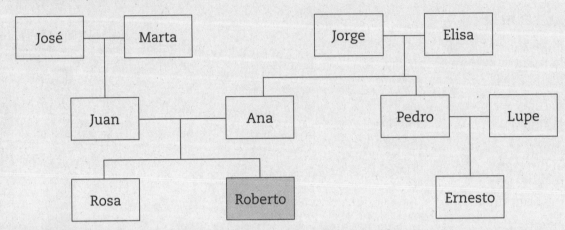

Mi familia

Me llamo Roberto Márquez. Tengo una familia muy simpática. José, Marta, Jorge y Elisa son mis _____ y tengo una _____: se llama Rosa.

Ernesto es mi _____. Él es el _____ de Pedro y Lupe.

Pedro es mi _____.

Los _____ de mi madre son Jorge y Elisa. Ellos tienen

tres _____: Rosa, Ernesto y yo.

▶ **Corrige.** Your classmate keeps confusing Roberto Márquez's relatives. Correct his or her mistakes.

1. Ana es la **madre** de Ernesto.

   No, Ana no es la madre de Ernesto. Ella es la tía de Ernesto.

2. Ernesto es el tío de Roberto.

   _____.

3. Jorge y Elisa son los abuelos de Pedro y Ana.

   _____.

4. Juan es el sobrino de José y Marta.

   _____.

5. Rosa es la hermana de Ernesto.

   _____.

Nombre: ....   Fecha: ....

EL VERBO TENER

yo	tengo	nosotros nosotras	tenemos
tú	tienes	vosotros vosotras	tenéis
usted él ella	tiene	ustedes ellos ellas	tienen

Yo **tengo** una computadora.

36 ¿Quién tiene qué?

▶ **Relaciona.** Match each person in column A with the appropriate ending in column B.

Ⓐ

1. Tú
2. Pedro
3. Julio y yo
4. Ustedes
5. Yo

Ⓑ

a. tienen un perro.
b. no tienes hermanos.
c. tengo una abuela mexicana.
d. tiene catorce años.
e. tenemos tres primos.

37 Palabras mezcladas

▶ **Ordena y escribe.** Put the words in order and write correct sentences.

1. tiene / tía / Mi / tres / hijas.

   Mi tía tiene tres hijas.

2. tengo / dos / Yo / hermanas.

   _____

3. cuaderno? / ¿Usted / un / tiene

   _____

4. tenemos / profesores. / Nosotros / cinco

   _____

5. México? / ¿Ustedes / de / tienen / amigos

   _____

38 Diálogos

▶ **Completa.** Fill in the blanks with the appropriate form of the verb *tener*.

1. —¿Cuántos amigos _____ tú? —Yo _____ dos amigos.	3. —¿Carlos _____ mascotas? —Él no, pero su hermana _____ un perro.
2. —¿Cuántos hijos _____ ustedes? —Nosotros _____ un hijo.	4. —¿Rosa y Ana _____ hermanos? —Sí, Rosa _____ un hermano y Ana _____ dos.

39 ¿Cuántos años tiene?

▶ **Responde.** Answer the questions about the age of the following people.

1. —¿Cuántos años tiene Jenny? (12)

    — <u>Jenny tiene doce años.</u>_____.

2. —¿Cuántos años tiene usted? (29)

    —_____.

3. —¿Cuántos años tienen ustedes? (16)

    —_____.

4. —¿Cuántos años tienes tú? (¿?)

    —_____.

40 Las mascotas

▶ **Completa.** Two friends are talking about their pets. Fill in the blanks with the appropriate form of the verbs *ser* or *tener*.

Nosotros _____ un perro. Se llama Snoopy. _____ dos años y _____ muy inteligente. ¿Tú _____ una mascota?

Sí. Mi hermana y yo _____ dos gatos. Se llaman Pipo y Lola y _____ muy graciosos.

Nombre: ....   Fecha: ....

LOS ADJETIVOS POSESIVOS

mi mis	my	nuestro, nuestra nuestros, nuestras	our
tu tus	your (informal)	vuestro, vuestra vuestros, vuestras	your (inf.)
su sus	his, her, your	su sus	their, your

Ellos son **mis** amigos.

41 **Más de uno**

▶ **Escribe.** Rewrite the following sentences changing them into their plural forms.

1. **Mi** hijo es atlético.   ⇒ _Mis hijos son atléticos_____.

2. **Su** mascota es inteligente.   ⇒ _____.

3. **Nuestra** profesora es simpática. ⇒ _____.

4. **Tu** hermano es estudioso.   ⇒ _____.

5. **Nuestro** amigo es alto.   ⇒ _____.

42 **¿De quién es?**

▶ **Relaciona.** Match each noun in the boxes with a possessive adjective in the circles.

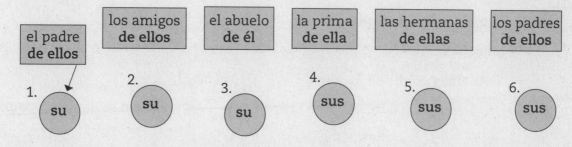

▶ **Escribe.** Write each possessive adjective and the person it corresponds to.

1. _Su___ _padre___   4. _____ _____

2. _____ _____   5. _____ _____

3. _____ _____   6. _____ _____

43 *Mi, tu, su…*

▶ **Escribe.** Rewrite each sentence using the correct possessive adjective.

1. **Usted** tiene tres perros. Son inteligentes.

   Sus perros son inteligentes._____

2. **Nosotros** tenemos una sobrina. Se llama Rosa.

   _____.

3. **Yo** tengo siete profesores. Son amables.

   _____.

4. **Tú** tienes cuatro primos. Son simpáticos.

   _____.

44 **Todos tienen algo**

▶ **Escribe.** Rewrite the sentences using the preposition *de* before the person to whom the object belongs.

1. Luis tiene un perro. Su perro es inteligente.

   El perro de Luis es inteligente._____

2. Juan tiene dos hermanas. Sus hermanas son graciosas.

   _____.

3. Luis y Carlos tienen unas bicicletas. Sus bicicletas son modernas.

   _____.

4. Ana tiene un hermano. Su hermano es tímido.

   _____.

45 **Tu familia y tus amigos**

▶ **Completa.** Complete the following dialogues with the appropriate possessive adjective.

1. —Antonio, ¿cómo se llaman _____ padres?

   —_____ padre se llama Felipe y _____ madre se llama Amparo.

   —¿Y _____ hermana?

   —Se llama Marisa.

2. —Ana, Jaime, ¿de dónde son _____ amigos?

   —_____ amigos son de México y de los Estados Unidos. ¿Y tus amigos?

   —_____ amigos son de México. Ah, y _____ amiga Sara es de Cuba.

Nombre: ....   **Fecha:** ....

46 Los Núñez

▶ **Lee y completa.** Read the information about the Núñez family and fill in the boxes with the appropriate names.

> **Mi familia**
>
> Mi madre se llama Teresa y mi padre Juan. Mi hermana se llama Lisa y mi hermano se llama Jesús.
>
> Los padres de mi madre se llaman Roberto y Luisa. Mi madre tiene una hermana, Alicia. Alicia tiene dos hijas, Rosa y Pilar. El padre de Rosa y Pilar es Ernesto.
>
> Los padres de mi padre se llaman Jorge y Marta. Mi padre no tiene hermanos.

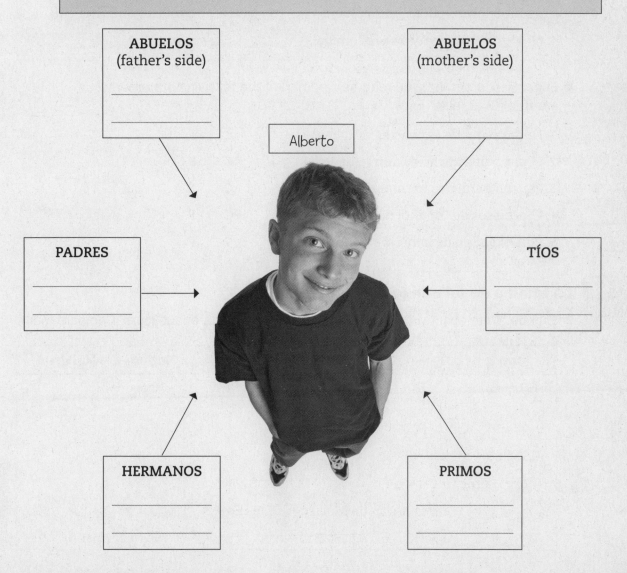

ABUELOS
(father's side)
_____
_____

ABUELOS
(mother's side)
_____
_____

Alberto

PADRES
_____
_____

TÍOS
_____
_____

HERMANOS
_____
_____

PRIMOS
_____
_____

47 **Pancho y yo**

▶ **Completa.** Fill in the blanks with possessive adjectives, correct forms of *tener*, or the preposition *de*.

> **Mi amigo Pancho**
>
> Mi mejor amigo se llama Pancho. Él _____ catorce años y es de México.
>
> Pancho _____ una hermana, Carolina. La hermana _____
>
> Pancho _____ quince años. ¡Es muy bonita! Los padres _____ Pancho
>
> son muy simpáticos. Ellos _____ un perro. _____ perro se llama Taco
>
> y es muy inteligente. Nosotros también _____ un perro. Se llama Roy.
>
> _____ perro y el perro _____ Pancho son amigos.
>
> Pancho y yo somos compañeros de clase. Nosotros _____ un profesor
>
> de Español, el señor Smith. El hijo _____ nuestro profesor se llama Phil.
>
> Él _____ trece años y es amigo _____ mi hermana.

▶ **Elige.** Based on what you read above, mark if the following statements are true (*C*) or false (*F*).

1. La hermana de Pancho es muy fea.   C   Ⓕ

2. El perro de Pancho es amigo de Roy.   C   F

3. Pancho tiene dos hermanas.   C   F

4. El profesor de Español no tiene hijos.   C   F

5. Phil es amigo de la hermana de Pancho.   C   F

48 **La familia de mi amigo**

▶ **Escribe.** Write about your best friend's family. Then write about yours. Compare them.

LA FAMILIA DE MI AMIGO	MI FAMILIA	NUESTRAS FAMILIAS
• Él tiene…	• Yo…	• Nosotros…

Nombre: _____   **Fecha:** _____

ESTADOS Y SENSACIONES

Preguntar cómo está alguien

¿Cómo estás? / ¿Qué tal estás?	*How are you? / How are you feeling?*
¿Cómo está? / ¿Qué tal está?	*How are you? / How are you feeling?*
¿Cómo están? / ¿Qué tal están?	*How are you? / How are you feeling?*

Decir cómo estás

excelente	*excellent*	aburrido(a)	*bored*	enfermo(a)	*sick*
muy bien	*very well*	cansado(a)	*tired*	enojado(a)	*angry*
bien	*well*	contento(a)	*happy*	nervioso(a)	*nervous*
así así	*so-so*	emocionado(a)	*excited*	triste	*sad*
mal	*bad*				
muy mal	*very bad*				

Sensaciones

Tengo hambre.	*I'm hungry.*		Tengo calor.	*I'm hot.*
Tengo sed.	*I'm thirsty.*		Tengo frío.	*I'm cold.*
Tengo miedo.	*I'm afraid.*			

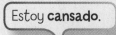

Estoy **cansado**.

49   **¿Cómo estás?**

▶ **Clasifica.** Classify the following words into positive (☺) or negative (☹) conditions.

1. contenta	4. triste	7. enojado	10. excelente
2. emocionado	5. aburridos	8. mal	11. enfermo
3. cansadas	6. bien	9. emocionadas	12. muy bien

Reacciones

▶ **Elige.** Look at the pictures and choose the correct caption.

1.   a. Tengo miedo.
      b. Estoy enferma.
      c. Tengo sed.

3.   a. Estoy enojado.
      b. Estoy nervioso.
      c. Estoy contento.

5.   a. Estoy triste.
      b. Estoy cansada.
      c. Tengo frío.

2.   a. Tengo calor.
      b. Tengo hambre.
      c. Estoy aburrida.

4.   a. Estoy bien.
      b. Estoy triste.
      c. Estoy emocionado.

6.   a. Tenemos miedo.
      b. Tenemos calor.
      c. Estamos aburridas.

51 **¿Cómo están ustedes?**

▶ **Completa.** Complete the following dialogues with the words below.

bien ✓   están   está   contentos   enfermo   estamos   estás

1. —¿Cómo _____, Julia?

    —¡Muy ___bien___! ¡Tengo un 100

    en mi examen!

3. —¿Cómo están ustedes?

    —¡Muy _____! ¡Mañana

    es sábado y no hay clases!

2. —¿Cómo _____, señores López?

    —_____ cansados.

4. —¿Cómo _____ usted?

    —Mal. Estoy _____.

Nombre: ....   **Fecha:** ....

EL VERBO ESTAR			
yo	estoy	nosotros nosotras	estamos
tú	estás	vosotros vosotras	estáis
usted él ella	está	ustedes ellos ellas	están

¡**Estoy** emocionada!

---

52 **¿Cómo están?**

▶ **Escribe.** Rewrite the following sentences using the correct form of the verb *estar*. Make sure the adjectives agree in gender and number with their subject.

1. Ellos / estar / contento. ⇒ _Ellos están contentos._

2. Yo / estar / muy bien. ⇒ _____

3. Carla y tú / estar / emocionado. ⇒ _____

4. Tú / estar / aburrido. ⇒ _____

5. Pedro y yo / estar / triste. ⇒ _____

53 **¿Y ellos, cómo están?**

▶ **Completa.** Fill in the blanks with the appropiate form of the verb *estar* and the correct form of the adjectives.

emocionado ✓   enfermo   triste   contento   cansado   enojado

1. Los niños
están emocionados.

3. Carlos
_____.

5. Silvia
_____.

2. Luis y Fran
_____.

4. Julia
_____.

6. Mario y yo
_____.

54 **En el parque**

▶ **Observa y escribe.** Look at the different situations in the picture. Then write how everybody is feeling. Use the verb *estar*.

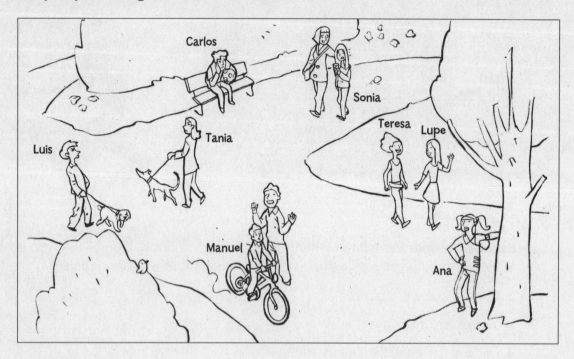

1. Manuel está nervioso.

2. Ana _____.

3. Carlos _____.

4. Tania y Luis _____.

5. Sonia _____.

6. Teresa y Lupe _____.

55 **¿Ser, tener o estar?**

▶ **Elige.** Circle the verb that best completes the sentence.

1. Mis amigos (son)/ tienen muy simpáticos.

2. Mi hermano es / tiene treinta y un años.

3. Jaime tiene / es amigo de mi hermana.

4. ¡Hola! ¿Cómo estás / tienes?

5. ¿Cuántos hermanos tienes / estás tú?

6. Mis abuelos tienen / son de México.

7. ¡Hoy estoy / tengo muy contenta!

8. ¿Estás / Tienes sed?

Nombre: ....   **Fecha:** ....

56 Diálogos desordenados

▶ **Escribe.** Write the dialogues by matching the bubbles in column A with those in column B.

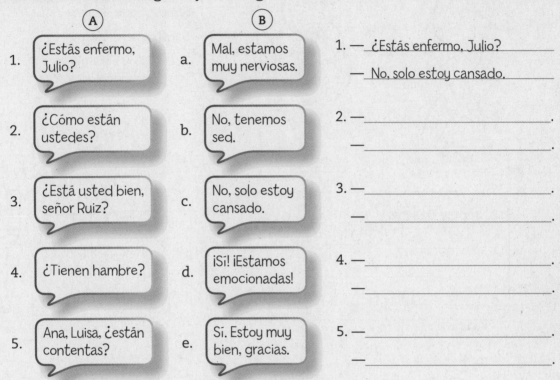

Ⓐ

1. ¿Estás enfermo, Julio?

2. ¿Cómo están ustedes?

3. ¿Está usted bien, señor Ruiz?

4. ¿Tienen hambre?

5. Ana, Luisa, ¿están contentas?

Ⓑ

a. Mal, estamos muy nerviosas.

b. No, tenemos sed.

c. No, solo estoy cansado.

d. ¡Sí! ¡Estamos emocionadas!

e. Sí. Estoy muy bien, gracias.

1. — ¿Estás enfermo, Julio?
   — No, solo estoy cansado.

2. — _____.
   — _____.

3. — _____.
   — _____.

4. — _____.
   — _____.

5. — _____.
   — _____.

57 Un cuestionario

▶ **Lee y escribe.** Fill in the blanks. Say how you would feel if the following situations occurred. Use these expressions in the correct form.

estar aburrido	tener frío	estar nervioso	estar triste
estar contento	estar emocionado	estar muy mal ✓	

¿Cómo estás?

1. Tu mejor amigo tiene un accidente. ⇒ Estoy muy mal. _____

2. Tienes un 100 en Matemáticas.   ⇒ _____.

3. Nieva.   ⇒ _____.

4. Tu abuelo está enfermo.   ⇒ _____.

5. Recibes un correo de un amigo.   ⇒ _____.

6. No tienes amigos.   ⇒ _____.

7. Tienes un examen difícil mañana.   ⇒ _____.

58 **Cada uno tiene su día**

▶ **Escribe.** Look at the pictures and write dialogues between these characters following the model.

Rafael

Sonia

1. Rafael y Sonia

R: Hola, Sonia, ¿cómo estás?

S: Estoy cansada, ¿y tú?

R: Yo estoy enfermo.

2. Pepe y Beatriz

_____

_____

_____

Pepe

Beatriz

3. Antonio y yo

_____

_____

_____

Antonio

▶ **Corrige.** Your classmate keeps making mistakes describing the above characters' conditions. Correct her sentences.

1. Rafael tiene miedo.   ⇒ No, Rafael no tiene miedo. Está enfermo. _____

2. Sonia tiene hambre.   ⇒ _____.

3. Pepe tiene calor.   ⇒ _____.

4. Beatriz tiene frío.   ⇒ _____.

5. Antonio tiene sed.   ⇒ _____.

58

Español Santillana. Practice Workbook. Unidad 1

Nombre: .... **Fecha:** ....

59 **Un poco de todo**

▶ **Completa.** Fill in the blanks with the correct expression from the box.

| Este es | enojado | Cómo estás | sed | tengo | Mucho gusto | contentos |

60 **Un niño perdido**

▶ **Escribe.** You are at the mall and you see a child crying who looks lost. You want to help him, so you ask him a few questions. Write the questions based on his answers.

1. ¿_____?   Me llamo Carlos.

2. ¿_____?   Tengo nueve años.

3. ¿_____?   Mi mamá se llama Ana Ruiz.

4. ¿_____?   No, ella no es rubia. Es morena y baja.

5. ¿_____?   No, no estoy nervioso. ¡Estoy triste!

61 **La quinceañera**

▶ **Lee.** Lupe is going to have her *quinceañera* party. Read her e-mail to a new pen pal student from the United States.

> ¡Hola, Jeremy!
>
> Me llamo Lupe. Tengo catorce años. Soy estudiante de la escuela superior Benito Juárez de Guadalajara. Soy morena y alta. Soy una chica espontánea y simpática. Mi mejor amiga se llama Consuelo. Ella es rubia, delgada y baja. Es muy simpática y muy estudiosa.
>
> El sábado tengo mi fiesta de quinceañera con mi familia y mis amigos. ¡Estoy muy contenta y muy emocionada!
>
> Y tú, ¿cuántos años tienes? ¿Cómo eres? ¿Tienes muchos amigos?
>
> Hasta pronto,
>
>   Lupe

▶ **Responde.** Answer the questions in complete sentences.

1. ¿Cuántos años tiene Lupe?   ⇒ Lupe_____.

2. ¿Cómo es Lupe?   ⇒ _____.

3. ¿Quién es Consuelo?   ⇒ _____.

4. ¿Por qué está contenta Lupe? ⇒ _____.

62 **Mi pariente favorito**

▶ **Lee y escribe.** Read what Lupe wrote about her favorite relative and write about yours. Give his or her name, physical characteristics, and personality traits.

Mi tío Juan	
Mi pariente favorito es mi tío Juan. Él es hermano de mi madre. Tiene treinta años. Es moreno y alto. Es simpático y muy gracioso. Mi tío Juan y mi tía Irene tienen un hijo, mi primo Guillermo. Tiene doce años. Es moreno, delgado y muy estudioso. ¿Quién es tu pariente favorito?	_____ _____ _____ _____ _____ _____ _____ _____

Nombre: _____   Fecha: _____

63 **Viva México**

▶ **Relaciona.** Look at these photos and match each one with the correct sentence.

a. Es el cuarto estadio más grande del mundo. Está en la Ciudad de México.	c. Es una pintora mexicana muy famosa.
b. Es una celebración muy especial para las chicas de México.	d. Es una tradición azteca de la ciudad de Papantla.

1. ____.

3. ____.

2. ____.

4. ____.

▶ **Escribe.** Choose one of the photos and write what you know about the topic.

_____
_____
_____
_____
_____

64 En la Ciudad de México

▶ **Lee y elige.** Andy was impressed with his visit to Mexico City. Read what he wrote in his journal and mark if the following sentences are true (*C*) or false (*F*).

Mi visita a la Ciudad de México

La Ciudad de México es la capital del país. También se llama Distrito Federal.
Es una ciudad enorme, tiene más de veinte millones de habitantes.
La ciudad tiene muchos parques, museos y atracciones.

El centro histórico es muy interesante. El Zócalo es la plaza principal.
Es un lugar fascinante. Tiene una bandera muy grande en el centro
y magníficos monumentos históricos, como la catedral y el Palacio Nacional.

1. El Distrito Federal es la capital de México. C F

2. La Ciudad de México tiene diez millones de habitantes. C F

3. El Zócalo está en el centro histórico de la Ciudad de México. C F

4. La plaza del Zócalo no es un lugar interesante. C F

5. El Palacio Nacional está en el Zócalo. C F

65 En el Zócalo

▶ **Completa.** Complete the sentences according to what you read in Andy's journal. Try to use your own words.

1. El Distrito Federal _es la capital de México._

2. La Ciudad de México _____
_____.

3. La plaza principal de la Ciudad de México ____
_____.

4. El Zócalo _____
_____.

5. En el Zócalo hay _____
_____.

6. El Palacio Nacional es _____
_____.

El juego del conocimiento

Nombre: _____ **Fecha:** _____

Snake by snake, you reach the Aztec pyramid. Answer correctly in each square to move forward. Read the instructions carefully.

In the majority of the boxes, you will need to complete a sentence or dialogue. However, in certain cases, read what to do:

2, 4. Write the pronoun. 8, 11, 14. Personal answer.
6. Form a sentence. 12. Rearrange to form a correct sentence.

DESAFÍO 1

1. Luisa y Pedro son hijos de Miguel. Ellos son _____.

2. Concha y usted → ustedes
Mi padre y mi madre → _____

3. ¡Hola! Yo _____ Alberto y ella _____ Marta.

4. ¿_____ eres Carlos? _____ somos Sara y Luis.

DESAFÍO 2

5. Mi hermana no es alta, es _____

6. Nosotras / gracioso. _____ _____.

7. Mis abuelos no son jóvenes, son _____.

8. —¿Cómo es tu madre? — _____ _____.

DESAFÍO 3

9. ¿Cuántos años _____ ustedes?

10. Mi abuelo es el _____ de mi madre.

11. —¿Tú cuántos años tienes? — _____ _____.

12. prima / Rebeca / no / mi / es _____ _____.

DESAFÍO 4

Tim y Mack _____ nerviosos y _____ miedo.

13

—¿Cómo estás?

— _____

_____ .

14

—¿Cómo están _____ ?

—Estamos _____ .

15

Nosotras tenemos un profesor de España.

_____ profesor es simpático.

16

Cultura

17 Escribe el título de un cuadro de Frida Kahlo.

_____

18 En Papantla unos hombres danzan en un ritual antiguo. Son

_____ .

19 El nombre del estadio de fútbol más famoso de la Ciudad de México es

_____ .

20 Escribe el nombre de un edificio histórico del Zócalo.

_____

21 La celebración de cumpleaños más especial para las chicas mexicanas es _____ .

Nombre: _____ Fecha: _____

DESAFÍOS EN EL CARIBE

1 **Casas y jardines**

▶ **Lee y relaciona.** Read each caption and write the letter of the picture that is being described in each case.

1. El señor Suárez vive en una casa con jardín. _____

2. Juan pasea a su perro. _____

3. No hay casas en el Morro. _____

4. El jardín está al lado de la casa. _____

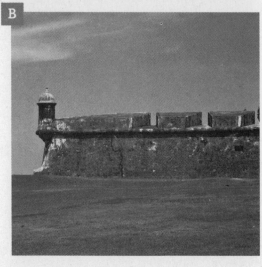

2 ¿Cómo es la casa?

▶ **Escribe.** Write a sentence that describes each home. Use the words in the box.

alta	vieja	pequeña	baja	bonita	grande

1. La casa es alta. _____ 4. _____

2. _____ 5. _____

3. _____ 6. _____

EXPRESIONES ÚTILES

3 Pedir perdón

▶ **Relaciona.** Match each expression in column A with its appropriate function in column B.

Ⓐ

1. ¡Cuidado!
2. Perdón.
3. Lo siento.

Ⓑ

a. To say you are sorry.
b. To get someone's attention.
c. To warn someone of a danger.

▶ **Completa.** Complete each sentence with an appropiate expression.

1. Perdón. _____ ¿Es usted la profesora de Arte?

2. ¡_____! ¡Hay un coquí en el jardín!

3. _____, mamá. Tengo mala nota en Arte.

4. – _____, ¿qué hora es?

   – _____, no tengo reloj.

Nombre: ....   **Fecha:** ....

LA VIVIENDA

El edificio

el apartamento	*apartment*
el ascensor	*elevator*
la escalera	*stairs*
el garaje	*garage*
el jardín	*yard*
la planta baja	*ground floor*
el primer piso	*first floor*

La casa

el baño	*bathroom*
la cocina	*kitchen*
el comedor	*dining room*
el dormitorio	*bedroom*
la sala	*living room*

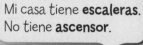

Mi casa tiene **escaleras**. No tiene **ascensor**.

El cuarto

la pared	*wall*	el suelo	*floor*	la ventana	*window*
la puerta	*door*	el techo	*ceiling*		

4 Sopa de letras

▶ **Busca y rodea.** Find and circle the nine words that describe the following pictures.

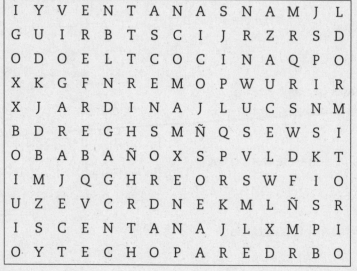

```
I Y V E N T A N A S N A M J L
G U I R B T S C I J R Z R S D
O D O E L T C O C I N A Q P O
X K G F N R E M O P W U R I R
X J A R D I N A J L U C S N M
B D R E G H S M Ñ Q S E W S I
O B A B A Ñ O X S P V L D K T
I M J Q G H R E O R S W F I O
U Z E V C R D N E K M L Ñ S R
I S C E N T A N A J L X M P I
O Y T E C H O P A R E D R B O
```

5 **En un edificio viejo...**

▶ **Lee y elige.** Read about where Sara's grandfather lives and mark if the sentences are true (*C*) or false (*F*).

> **La residencia de mi abuelo**
>
> Mi abuelo vive en una residencia para personas mayores. El edificio es viejo, pero es grande y bonito. La residencia tiene una planta baja y tres pisos. Tiene escaleras y ascensor. También tiene un jardín muy grande y un restaurante en la planta baja.
>
> Mi abuelo tiene un apartamento en la residencia. Su apartamento no es muy grande: tiene una sala, un baño, un dormitorio y una cocina.

1. El abuelo de Sara vive en una residencia.   C   F

2. La residencia tiene escaleras y no tiene ascensor.   C   F

3. El edificio tiene cinco pisos.   C   F

4. El apartamento del abuelo de Sara es grande.   C   F

5. La residencia tiene un restaurante.   C   F

6 **El apartamento de mi amigo**

▶ **Responde.** Answer the questions using the floor plan.

1. ¿Cuántos dormitorios tiene el apartamento?

_____

2. ¿Tiene sala?

_____

3. ¿Cómo es la sala? ¿Es grande o pequeña?

_____

4. ¿Cuántos baños tiene?

_____

5. ¿La casa tiene escalera o ascensor?

_____

6. ¿Cuántas ventanas tiene?

_____

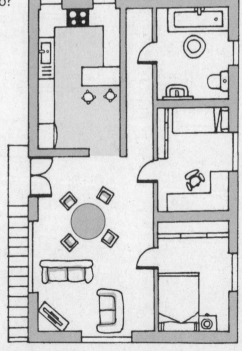

Nombre: ....   **Fecha:** ....

LOS NOMBRES: GÉNERO Y NÚMERO

Formación del femenino

Masculine form	Feminine form
Ends in –o.	Changes –o to –a. el alumno → la alumna
Ends in a consonant.	Adds –a. el profesor → la profesora

Formación del plural

Masculine form	Feminine form
Ends in a vowel.	Adds –s. el edificio → los edificios
Ends in a consonant.	Adds –es. el ascensor → los ascensores

¿El edificio tiene **ascensor**?

Sí, tiene dos **ascensores**.

7 Cada uno en su lugar

▶ **Clasifica y escribe.** Write the plural form of the words in the boxes, classifying them by the ending they have.

✓ edificio   ascensor   cocina   joven

planta   pared   jardín

comedor

Plural ends in -s	Plural ends in -es

casa   baño

edificio _____   _____

_____   _____

color   techo

_____   _____

_____   _____

_____   _____

8 ¡Qué edificios!

▶ **Elige y relaciona.** Complete each description by circling the appropriate word.

1. El Morro es (bonito)/bonita.

2. La Casa Blanca es grande/grandes.

3. Las casas del Viejo San Juan
son bajos/bajas.

4. El parque de San Juan no es
pequeña/pequeño.

5. Las calles del Viejo San Juan
son coloridos/coloridas.

La Casa Blanca.

9 Más de uno

▶ **Escribe.** Write a description of the following parts of a school. Remember to make the adjectives agree with the nouns they modify.

1. pequeño/viejo   Los edificios son pequeños y viejos.

2. grande/bonito   El jardín .

3. moderno   La cocina .

4. alto   Las paredes .

5. elegante   Los comedores .

10 Tu casa

▶ **Escribe.** Write a description of the housing where you live. Talk about the age of the building, its rooms, its size, and if it is pretty or not.

Mi casa _____

_____

_____

_____

_____

_____

_____

Nombre: ....   Fecha: ....

LOS ARTÍCULOS

Las calles del Viejo San Juan son muy interesantes.

Sí: tienen **unas** casas muy bonitas.

	singular		plural	
	masculino	femenino	masculino	femenino
definidos	el	la	los	las
indefinidos	un	una	unos	unas

11 Artículos

▶ **Relaciona.** Match each article in column A with its corresponding noun in column B.

Ⓐ

1. las
2. los
3. un
4. una

Ⓑ

a. dormitorios
b. jardín
c. casa
d. paredes

12 La casa de mi hermana

▶ **Completa.** Complete the text with appropriate definite and indefinite articles.

La casa de mi hermana

_____ casa de mi hermana tiene _____ ascensor y _____ escaleras. _____ escaleras son muy viejas. _____ ascensor no.

_____ casa de mi hermana tiene _____ techos muy altos. También tiene _____ ventanas muy grandes, pero _____ cocina tiene _____ ventana muy pequeña.

_____ casa tiene tres dormitorios. _____ paredes de _____ dormitorios son de colores diferentes. ¡Es _____ casa genial!

13 **Así es mi casa**

▶ **Completa.** Complete the sentences with definite or indefinite articles.

1. Mi apartamento está en _____ edificio. El edificio es muy alto.

2. Tenemos _____ baño pequeño, pero tiene _____ ventana.

3. No tenemos _____ sala separada. La sala es parte del comedor.

4. La casa tiene _____ ventanas grandes, pero las ventanas de los baños

   son pequeñas.

5. En _____ dormitorio de mis padres los techos son altos.

14 **La casa de Leonor**

▶ **Elige y completa.** Choose and circle the correct expression for each blank
in the text and complete it.

1.	2.	3.	4.
a. una amiga	a. La casa	a. el jardín	a. una casa
b. la amiga	b. Una casa	b. un jardín	b. la casa

5.	6.	7.	8.
a. un dormitorio	a. un dormitorio	a. el baño	a. Unos dormitorios
b. el dormitorio	b. el dormitorio	b. un baño	b. Los dormitorios

9.	10.	11.	12.
a. La casa	a. una cocina	a. el fantasma	a. el garaje
b. Una casa	b. la cocina	b. un fantasma	b. un garaje

La casa de Leonor es misteriosa

Tengo 1. ____ _____ en Puerto Rico. Se llama Leonor.

2. ____ _____ de mi amiga Leonor es muy bonita. Tiene 3. ____

_____ muy grande. Es 4. ____ _____ vieja. La planta

baja tiene 5. ____ _____ . Es 6. ____ _____ de la abuela.

También tiene 7. ____ _____ . 8. ____ _____ grandes

están en el primer piso. Son dos. 9. ____ _____ no tiene

comedor, pero 10. ____ _____ es muy grande. Leonor está muy

contenta: su casa es muy misteriosa. Tiene 11. ____ _____

en 12. ____ _____ .

Nombre: ....   **Fecha:** ....

15   Soy arquitecto

▶ **Lee y dibuja.** Read the information about Pedro's house and draw a floor plan. Label each room.

> **Mi casa**
>
> Mi casa es muy grande. Tiene unos dormitorios muy bonitos: el dormitorio de mis padres es muy grande y tiene un baño. Mi dormitorio es pequeño, no tiene baño, pero tiene dos ventanas. El dormitorio de Silvia, mi hermana, también es pequeño. Tiene dos ventanas pequeñas y una ventana grande. La casa tiene dos baños: el baño del dormitorio de mis padres y un baño grande. La cocina y la sala no son muy grandes, ¡pero el jardín es enorme!

16 Se vende

▶ **Lee y elige.** Read the ad and circle the letter of the picture being described.

> **Se vende**
>
> Casa en el Viejo San Juan. Dos pisos, garaje y jardín. No tiene ascensor.
> Tres dormitorios, dos baños, cocina, sala y comedor. Muchas ventanas.

▶ **Escribe.** Now, write a similar ad for one of the other two homes.

_____

_____

_____

17 Yo vivo aquí

▶ **Dibuja y escribe.** Make a drawing of your own home and write a description.

Nombre: ....   **Fecha:** ....

MUEBLES Y OBJETOS DE LA CASA

En el dormitorio		En el baño	
el armario	*closet*	la bañera	*bathtub*
la cama	*bed*	la ducha	*shower*
la cómoda	*dresser*	el inodoro	*toilet*
la mesita de noche	*nightstand*	el lavabo	*sink*

En la sala		En la cocina	
la estantería	*bookcase*	la estufa	*stove*
la mesa	*table*	el lavaplatos	*dishwasher*
la silla	*chair*	el microondas	*microwave oven*
el sofá	*sofa*	el refrigerador	*refrigerator*
el televisor	*television set*		

¡Tienes **una cama** muy grande!

Sí, pero **el armario** es muy pequeño.

18 Cosas de casa

▶ **Escribe.** Write each word in its appropriate blank.

mesita de noche	cama	armario	mesa	estufa	refrigerador

1. _____   4. _____

2. _____   5. _____

3. _____   6. _____

19 Crucigrama

▶ **Completa.** Look at the drawings and complete the crossword puzzle.

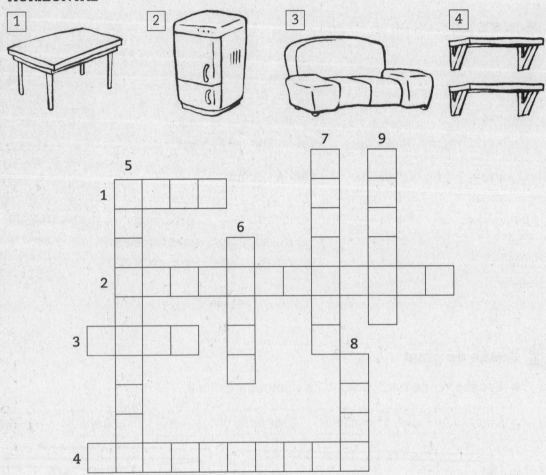

20 Mi dormitorio

▶ **Escribe.** Write a brief description of your bedroom. Say what furniture you have.

_____

_____

_____

Español Santillana. Practice Workbook. Unidad 2

Nombre: ....   Fecha: ....

EL VERBO HABER

hay + noun   *there is / are*   **no hay** + noun   *there is not / are not*

¿**Hay** escaleras
en tu edificio?

No, **no hay** escaleras.
Hay ascensor.

21 **¿Hay o no hay?**

▶ **Observa y elige.** Look at the pictures and circle the caption that best describes
each one.

1.

(Hay un coquí en el jardín.)

No hay coquíes aquí.

3.

Hay casas pequeñas.

No hay edificios bajos.

5.

Hay personas aburridas.

Hay personas contentas.

2.

No hay jardín en la casa.

Hay niños en el jardín.

4.

Hay un profesor.

Hay una bandera.

6.

Hay estudiantes.

No hay estudiantes.

22 **La casa de Manolo**

▶ **Lee y elige.** Read about Manolo's house and choose the best answer for each question.

> **Esta es mi casa**
>
> Nuestra casa es muy grande. Tiene tres plantas. En la planta baja hay una cocina, una sala, un comedor, un baño y también está el garaje.
> Mi dormitorio, el dormitorio de mis padres, el dormitorio de mi hermana Lola y el dormitorio de mi abuela María están en el primer piso.
> En el primer piso hay también dos baños.
>
> En mi casa todos tenemos una computadora; ¡hay cinco computadoras!
> Y hay dos televisores: tenemos uno en la cocina y uno en la sala.

1. ¿Cuántos dormitorios hay en la casa de Manolo?

   a. Hay cinco.   b. Hay cuatro.   c. Hay seis.

2. ¿Hay baños en la planta baja?

   a. No, no hay.   b. Sí, hay dos.   c. Sí, hay uno.

3. ¿Cuántas computadoras hay en la casa?

   a. Hay cuatro.   b. Hay seis.   c. Hay cinco.

4. ¿Dónde no hay televisor?

   a. En el garaje.   b. En la cocina.   c. En la sala.

5. ¿Cuántas personas hay en la familia de Manolo?

   a. Hay seis.   b. Hay cuatro.   c. Hay cinco.

23 **¿Qué hay en la foto?**

▶ **Escribe.** Write three sentences about this photo. Say what things there are. Use *hay*.

_____

_____

_____

_____

_____

_____

_____

Nombre: _____   **Fecha:** _____

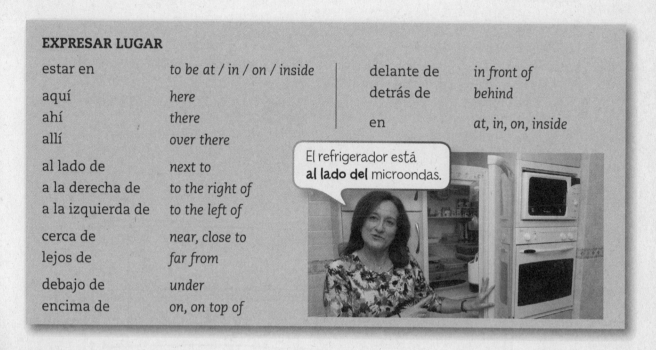

EXPRESAR LUGAR

estar en	to be at / in / on / inside	delante de	in front of
aquí	here	detrás de	behind
ahí	there	en	at, in, on, inside
allí	over there		
al lado de	next to		
a la derecha de	to the right of		
a la izquierda de	to the left of		
cerca de	near, close to		
lejos de	far from		
debajo de	under		
encima de	on, on top of		

El refrigerador está **al lado del** microondas.

24 **¿Dónde están?**

▶ **Escribe.** Look at the picture and write the name of the person or animal each sentence refers to.

el perro	la niña	el gato	el niño

1. Está encima de la cama. _____.

2. Está debajo de la silla. _____.

3. Está cerca de la puerta. _____.

4. Está en el armario. _____.

25 La estantería

▶ **Lee y dibuja.** Read the following description and draw the missing elements. Then label them.

> **Una estantería con muchas cosas**
>
> En mi casa hay una estantería muy grande. El televisor está en la estantería. A la derecha del televisor hay unos libros de mi padre. Son muy gordos. A la izquierda está Misi, el gato de mi hermana. Debajo de Misi hay dos cuadernos viejos. Encima del televisor hay dos pequeños perros de porcelana. Son de mi madre. No hay cosas mías en la estantería. Yo tengo todas mis cosas en mi dormitorio.

▶ **Dibuja y escribe.** Now, draw the following objects on the bookcase and write sentences telling where they are located.

los lápices   el diccionario   el bolígrafo   el cartel   el reloj

_____

_____

_____

_____

_____

26 En mi estantería

▶ **Escribe.** Write a description of a bookcase you have at home.

_____

_____

_____

_____

Nombre: ....   Fecha: ....

27 La sala de mi casa...

▶ **Lee y relaciona.** Read the following descriptions of three living rooms and draw lines in order to match each one with its corresponding picture.

Es muy pequeña.
No tenemos mesa.
Hay un sofá al lado
de una estantería y una
silla delante del sofá.

Está bien. Hay un televisor
en la estantería. Hay
una mesa y muchos libros
encima de ella.

¡Es original! Tenemos
el televisor encima
de una silla y la estantería
está detrás del sofá.
Los libros están debajo
de la mesa.

Ⓐ    Ⓑ    Ⓒ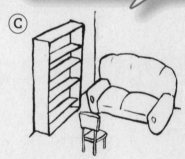

28 Una suite de lujo

▶ **Observa y responde.** Study the photo of this luxury suite, then read the following sentences and mark if they are true (*C*) or false (*F*).

1. Hay una mesa delante de la cama.   C   F

2. Hay un microondas en la estantería.   C   F

3. El sofá está al lado de la ventana.   C   F

4. No hay sillas.   C   F

5. Las ventanas son grandes.   C   F

6. Hay un armario detrás de la cama.   C   F

▶ **Completa y escribe.** Complete the sentences with the pieces of furniture that are missing and then describe the suite.

1. En la suite no hay _____

2. En la suite no hay _____

3. La suite es _____

29 **Más muebles**

▶ **Observa y completa.** Look at the picture, read the answers, and complete each question with an appropriate expression.

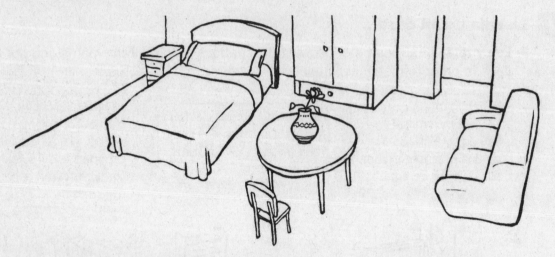

1. ¿Qué hay _____ del armario?   –Hay una mesa.

2. ¿Qué hay _____ del armario?   –Hay una cama.

3. ¿Qué hay _____ del sofá?   –Hay una mesita de noche.

4. ¿Qué hay _____ de la silla?   –Hay una mesa.

5. ¿Qué hay _____ de la mesa?   –Hay una flor.

30 **Un dormitorio fantástico**

▶ **Dibuja y escribe.** Draw a floor plan of the greatest bedroom ever and write its description. Say how many windows and doors it has, what furniture and appliances it has, and where each thing is located.

Nombre: ....   **Fecha:** ....

LAS TAREAS DOMÉSTICAS

barrer el suelo	to *sweep the floor*
cortar el césped	to *cut the grass*
lavar los platos	to *wash the dishes*
limpiar el baño	to *clean the bathroom*
ordenar la casa	to *straighten the house*
pasar la aspiradora	to *vacuum*
pasear al perro	to *walk the dog*
sacar la basura	to *take the trash out*
sacudir los muebles	to *dust the furniture*

Acciones habituales en la casa

abrir la ventana	to *open the window*
apagar la luz	to *turn the light off*
prender la luz	to *turn the light on*

¡Tengo que **lavar los platos**!

---

31 **Tareas y utensilios**

▶ **Escribe**. Write the name of the activity that corresponds to each photo.

1. _____

3. _____

5. _____

2. _____

4. _____

6. _____

32 **Un caos**

▶ **Ordena y escribe**. Tim wasn't paying attention when his parents told him the chores he would have to do this week. Read his to-do list and rewrite it correctly.

Tareas para la semana	1. prender la luz _____
1. prender los muebles	_____
2. sacudir las ventanas	_____
3. cortar los platos	_____
4. sacar el césped	_____
5. abrir la basura	_____
6. limpiar la luz	_____

33 **Muchas tareas**

▶ **Observa y escribe**. Look at the following pictures and write the chore that needs to be done in each case.

1. _____
2. _____
3. _____
4. _____
5. _____
6. _____

Español Santillana. Practice Workbook. Unidad 2

Nombre: ....   **Fecha:** ....

VERBOS REGULARES EN -AR. PRESENTE DE INDICATIVO

Lavar

yo	lavo	nosotros nosotras	lavamos
tú	lavas	vosotros vosotras	laváis
usted él ella	lava	ustedes ellos ellas	lavan

34 **En mi casa**

▶ **Elige.** Circle the appropriate verb form in order to complete each sentence.

1. Ellos corta / (cortan) el césped.
2. Yo nunca paseo / paseas al perro.
3. Ella limpias / limpia el baño.
4. Nosotros ordenamos / ordenan la casa.
5. Ellos saco / sacan la basura.
6. Usted pasamos / pasa la aspiradora.
7. Tú lavas / lavo los platos.
8. Ustedes apagáis / apagan la luz.

35 **Tareas**

▶ **Escribe.** Write a sentence describing each of the following pictures.

1. _____.

2. _____.

3. _____.

4. _____.

36 **La familia y las tareas**

▶ **Completa.** Complete the text with conjugated forms of the following verbs.

sacar   pasear   ordenar   cortar   apagar   pasar   lavar

> **Tareas en mi casa**
>
> En casa somos muy organizados. Todos nosotros _____ la casa.
>
> Yo _____ a Malva, nuestra perra. Mi hermano Alfredo
>
> _____ las luces del jardín. Mis padres _____
>
> los platos. Mi abuelo _____ el césped. ¿Y tú, _____
>
> la aspiradora o _____ la basura?

37 **¿Quién y dónde?**

▶ **Escribe.** Combine words and phrases from each of the boxes and write four original sentences.

| Yo
Tú
Mis amigos
Mi madre y yo | cortar el césped
pasar la aspiradora
limpiar el lavabo
lavar los platos | en la sala.
en el jardín.
en el baño.
en la cocina. |

1. Yo corto el césped en el jardín. _____

2. _____

3. _____

4. _____

38 **Las tareas en mi casa**

▶ **Escribe.** Write a similar text to the one in activity 36 explaining the chore distribution in your home.

_____

_____

_____

_____

_____

Nombre: ....   **Fecha:** ....

VERBOS REGULARES EN -ER Y EN -IR. PRESENTE DE INDICATIVO

PRENDER

yo	prendo	nosotros nosotras	prendemos
tú	prendes	vosotros vosotras	prendéis
usted él ella	prende	ustedes ellos ellas	prenden

ABRIR

yo	abro	nosotros nosotras	abrimos
tú	abres	vosotros vosotras	abrís
usted él ella	abre	ustedes ellos ellas	abren

Yo **abro** la ventana.

Yo **prendo** la luz.

39 Más actividades

▶ **Elige.** Circle the verb form that corresponds with the subject to complete each sentence.

1. Yo prende / prendo la luz y abre / abro la ventana.

2. Mis hermanos barren / barre el suelo y sacuden / sacude los muebles.

3. Nosotros sacuden / sacudimos los muebles y barren / barremos el suelo.

4. ¿Tú barres / barro el suelo y sacudes / sacudo los muebles?

5. ¿Tu padre barremos / barre el suelo y sacudimos / sacude los muebles?

6. ¿Ustedes abrimos / abren las ventanas y prendemos / prenden la luz?

40 Mala conjugación

▶ **Escribe.** Find the mistakes in the -er and -ir verbs, and write the correct forms in the box on the right.

CORREGIR

1. Los sábados mi madre *barres* la sala.	1. __barre_____
2. Mi hermano y yo *sacuden* los muebles.	2. _____
3. Ellos *comes* en la cocina.	3. _____
4. Yo *abre* las ventanas por la mañana.	4. _____
5. Usted no *sacudes* los muebles.	5. _____
6. Nosotros no *escriben* en la pared.	6. _____
7. Ustedes *prende* la luz del garaje.	7. _____
8. Mi hermana *abres* la puerta.	8. _____

41 Una casa en orden

▶ **Responde.** Answer the questions with complete sentences.

1. ¿Ustedes ordenan la cocina?

    ☺ Sí, nosotros ordenamos la cocina.

    ☹ No, nosotros no ordenamos la cocina.

2. ¿Tú abres la ventana del dormitorio?

    ☺ _____

    ☹ _____

3. ¿Ellos barren el suelo de la sala?

    ☺ _____

    ☹ _____

4. ¿Tus padres abren la puerta de la sala?

    ☺ _____

    ☹ _____

5. ¿Él prende la luz en el garaje?

    ☺ _____

    ☹ _____

Nombre: ....   **Fecha:** ....

42 Todas las tareas

▶ **Completa.** Read the clues and complete the crossword puzzle.

HORIZONTAL

1. Nosotros _____ la luz.

2. Yo corto el _____.

3. Sara y yo _____ las ventanas.

4. Nosotros _____ al perro.

5. Ellos no _____ la luz.

6. En el baño yo limpio la _____.

7. Ella pasa la _____.

VERTICAL

8. Ana no _____ el baño.

9. Tú _____ el suelo.

10. Mis padres _____ la casa.

11. Tú _____ los muebles.

12. Tú _____ la aspiradora.

13. Tú _____ la puerta de tu casa.

14. Yo _____ el césped.

43 **¡Rápido!**

▶ **Escribe.** Your parents come back from a trip today. Complete the text with the appropriate verb forms.

> **A limpiar**
>
> ¡Organización, rápido! Todos nosotros _____ la casa.
>
> Yo _____ el césped. Patricia _____ los platos
>
> en la cocina. Eduardo y Marcos _____ los muebles en la sala
>
> y en el comedor. Eduardo, además, _____ el suelo y Marcos
>
> _____ a la perra, Lupita. Tú, Luisita, tú _____
>
> el baño. Al final, Patricia y yo _____ las luces.

▶ **Responde.** Your sister Luisita doesn't understand what you are explaining. Answer her questions with complete sentences.

1. ¿Quién sacude los muebles?

_____

2. ¿Quiénes apagan las luces?

_____

3. ¿Quién limpia el baño?

_____

44 **Ayuda de los amigos**

▶ **Escribe.** You have so many chores that you ask your friends to help you. Write what chore each person has to do for you.

_____

_____

_____

_____

_____

_____

_____

_____

Nombre: ....   **Fecha:** ....

¿Usas la computadora?

ACTIVIDADES DE OCIO

cuidar a la mascota	*to take care of a pet*
escuchar música	*to listen to music*
escribir un correo electrónico	*to write an e-mail*
hablar por teléfono	*to talk on the phone*
leer una revista	*to read a magazine*
usar la computadora	*to use the computer*
ver la televisión	*to watch TV*
tener ganas de	*to feel like*

Sí, **escribo** muchos **correos electrónicos**.

45 El tiempo libre

▶ **Escribe.** Write the name of the person that is performing the action below each picture.

1. Luisa usa la computadora en su cuarto.
2. María ve la televisión en la sala.
3. Ana cuida a su mascota en el jardín.
4. Jorge y Pedro hablan por teléfono.
5. Susana lee una revista.
6. Pedro está contento: escucha música de Puerto Rico.

_____   _____   _____

_____   _____   _____

46 **Un sábado por la tarde**

▶ **Observa y escribe.** Juan and his family are spending Saturday afternoon at home. Describe what each person is doing.

1. Juan _escribe un correo electrónico._____

2. Los padres de Juan _____

3. La hermana de Juan _____

4. El hermano de Juan _____

5. La abuela de Juan _____

47 **En mi tiempo libre**

▶ **Escribe.** Write about your family's free-time activities.

_Yo uso la computadora. Mi hermano no._____

_____

_____

_____

_____

Nombre: ....   **Fecha:** ....

ADVERBIOS DE FRECUENCIA

nunca	*never*
casi nunca	*almost never*
rara vez	*seldom, rarely*
a veces	*sometimes*
muchas veces	*many times, often*
casi siempre	*most of the time*
siempre	*always*
todos los días	*every day*

Expresar obligación

tener que + infinitivo

An obligation somebody has:

Él **tiene que cortar** el césped.

hay que + infinitivo

General obligations, rules, or norms:

Hay que lavar los platos.

Hay que pasear al perro todos los días.

48 **Tenemos que escribir**

▶ **Escribe.** Write a sentence to say what has to be done in each picture. Use *tener que* and the subjects provided.

1   2   3   4   5

1. <u>Nosotros tenemos que usar la computadora</u> _____ .

2. Usted _____ .

3. Ellos _____ .

4. Tú _____ .

5. Yo _____ .

6. Ella _____ .

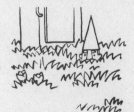

6

49 **¿Hay que o no hay que?**

▶ **Escribe.** Write sentences to say what has to (or doesn't have to) be done. Use *hay que.*

1. Hay que limpiar las paredes.

2. _____

3. _____

4. _____

5. _____

50 **¿Con qué frecuencia...?**

▶ **Responde.** Answer the following questions with complete sentences.

1. ¿Con qué frecuencia usas la computadora?

_____

2. ¿Con qué frecuencia lavas los platos en casa?

_____

3. ¿Con qué frecuencia limpias la bañera?

_____

4. ¿Con qué frecuencia escribes correos electrónicos?

_____

5. ¿Con qué frecuencia lees revistas?

_____

Nombre: ....   Fecha: ....

51 **Una semana especial**

▶ **Lee y escribe.** Read the e-mail and mark if the following sentences are true (*C*) or false (*F*).

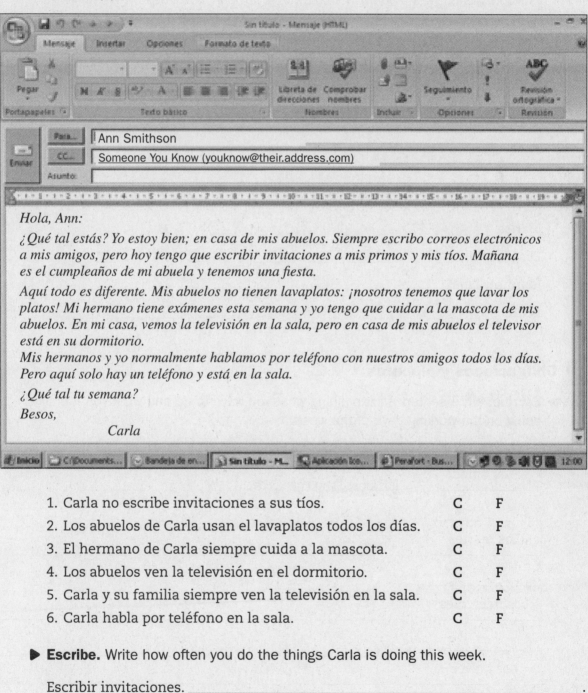

Hola, Ann:

¿Qué tal estás? Yo estoy bien; en casa de mis abuelos. Siempre escribo correos electrónicos a mis amigos, pero hoy tengo que escribir invitaciones a mis primos y mis tíos. Mañana es el cumpleaños de mi abuela y tenemos una fiesta.

Aquí todo es diferente. Mis abuelos no tienen lavaplatos: ¡nosotros tenemos que lavar los platos! Mi hermano tiene exámenes esta semana y yo tengo que cuidar a la mascota de mis abuelos. En mi casa, vemos la televisión en la sala, pero en casa de mis abuelos el televisor está en su dormitorio.

Mis hermanos y yo normalmente hablamos por teléfono con nuestros amigos todos los días. Pero aquí solo hay un teléfono y está en la sala.

¿Qué tal tu semana?

Besos,

　　　Carla

1. Carla no escribe invitaciones a sus tíos.　　　　　　C　　F

2. Los abuelos de Carla usan el lavaplatos todos los días.　C　　F

3. El hermano de Carla siempre cuida a la mascota.　　　C　　F

4. Los abuelos ven la televisión en el dormitorio.　　　　C　　F

5. Carla y su familia siempre ven la televisión en la sala.　C　　F

6. Carla habla por teléfono en la sala.　　　　　　　　　C　　F

▶ **Escribe.** Write how often you do the things Carla is doing this week.

Escribir invitaciones. _____.

Lavar los platos. _____.

Cuidar a la mascota. _____.

52 **¡Qué desorganización!**

▶ **Lee y escribe.** Read the dialogue and complete the sentences with the activities each person has to do.

> SEÑORA VILLAR: Marisa, hija, ¿tienes que sacar la basura?
>
> MARISA: No, mamá. Juanito y Luis tienen que sacar la basura.
>
> SEÑORA VILLAR: ¿Y Pedro? ¿No tiene que cortar el césped?
>
> MARISA: No, mamá. Papá tiene que cortar el césped. Pedro tiene que cuidar a Peti.
>
> SEÑORA VILLAR: ¿Y tú? ¡Tienes que preparar los sándwiches!
>
> MARISA: No, mamá. ¡Papá siempre prepara los sándwiches! Yo tengo que escribir un correo electrónico a la abuela.
>
> SEÑORA VILLAR: ¿Y yo?
>
> MARISA: ¡Tú tienes que leer nuestro plan de tareas, mamá!

La señora Villar _____

Marisa _____

El señor Villar _____

Juanito y Luis _____

Pedro _____

53 **Obligaciones y placeres**

▶ **Escribe.** Write sentences explaining what you have to do and what you feel like doing on the working days of the week.

| Los lunes | Los lunes tengo que... _____ |
| | Los lunes tengo ganas de... _____ |

| Los martes | _____ |
| | _____ |

| Los miércoles | _____ |
| | _____ |

| Los jueves | _____ |
| | _____ |

| Los viernes | _____ |
| | _____ |

Nombre: _____   **Fecha:** _____

54 Hay que ordenar la casa

▶ **Lee y escribe.** Read the text and label the picture, writing the name
of each character.

> Hola, soy Patricia Solís. Esta es mi familia. Estamos en la cocina. Emilio lava
> los platos. Yo estoy cerca de Emilio; tengo que barrer el suelo. A la derecha
> de Emilio está mi tía Sara; tiene que preparar unos sándwiches. Lejos de Sara
> están Mara y Santi: Santi lee una revista y Mara escucha música. Rocío está
> debajo de la mesa; cuida a Tor, nuestro perro. Tor tiene miedo: ¡Pepu pasa
> la aspiradora cerca de él!

▶ **Escribe.** Write three sentences saying other chores that need to be done
at the Solís family house.

_____

_____

_____

▶ **Lee y escribe.** Read the story and complete the following speech bubbles.

> **La rutina de la familia Montesinos**
>
> La familia Montesinos siempre ordena la casa los sábados. Los niños normalmente barren el piso y el abuelo pasa la aspiradora. La madre siempre sacude los muebles y a veces el padre limpia el garaje.
> Hoy, el primer sábado del mes, el padre y los niños limpian las estanterías y los armarios. La mascota, Noi, no ordena la casa. ¡Escucha música!

1. Yo limpio el garaje.

2. Mi padre y nosotros _____ _____ _____.

3. El abuelo _____ _____ _____.

4. Yo _____ _____ _____.

5. Mamá _____ _____ _____.

6. Mis nietos _____ _____ _____.

▶ **Lee y escribe.** Read the following riddle and answer the question.

> Estoy lejos del abuelo, delante del señor Montesinos y cerca del niño. ¿Quién soy?

_____

Nombre: .... **Fecha:** ....

57 **¿Qué sabemos de Puerto Rico?**

▶ **Completa y relaciona.** Complete the following texts and draw lines in order to match each one with the appropriate picture.

1

Es el centro de la capital de Puerto Rico. Tiene casas coloridas y calles de piedra.

Es _____.

2

Es un animal pequeño. Para muchas personas es un símbolo de Puerto Rico.

Es _____.

3

Es un paraje natural curioso. En sus aguas hay luz. Está en la isla de Vieques.

Es _____.

4

Es un lugar subterráneo. Tiene un río y muchos animales extraños.

Son _____.

▶ **Elige.** Mark if the following sentences are true (*C*) or false (*F*).

1. Puerto Rico es un Estado Libre Asociado con los EE. UU.   C   F
2. Puerto Rico está formado por seis islas principales.   C   F
3. En el bosque tropical El Yunque hay coquíes.   C   F
4. El Morro es un castillo del siglo XVIII.   C   F

58 Las casas de Puerto Rico

▶ **Lee y escribe.** Read the text and write below each photo the place where it is located.

> **Las casas de Puerto Rico**
>
> En Puerto Rico hay casas muy diferentes. En el Viejo San Juan hay casas bajas. En un edificio antiguo del Viejo San Juan está la Casa de la Familia Puertorriqueña. Es un museo sobre la arquitectura del siglo XVII, de herencia española. En El Yunque hay un edificio alto: la torre de observación. Cerca de la ciudad de Ponce hay casas indígenas. Se llaman bohíos. Son circulares y no tienen ventanas.

A

B

C

---

59 Un guía en Puerto Rico

▶ **Responde.** Answer the questions based on the reading.

1. ¿Dónde hay casas bajas en Puerto Rico?

   _____

2. ¿Qué es la Casa de la Familia Puertorriqueña?

   _____

3. ¿Dónde está la Casa de la Familia Puertorriqueña?

   _____

4. ¿Dónde hay casas indígenas en Puerto Rico?

   _____

5. ¿Cómo son los bohíos?

   _____

El juego del conocimiento

Nombre: ....   Fecha: ....

Help the *coquí* find its home. Complete each sentence to jump a meter
and advance. Each correct answer will earn you one meter.

DESAFÍO 1

Es una

_____.

1

Es _____ puerta
de mi

_____.

2

El niño → Los niños.
La casa → _____

_____.

El ascensor → _____

3

Mi casa no tiene

_____

4

DESAFÍO 2

_____ libros
en la estantería.

7

Estoy _____
de la silla.

6

Estoy _____
de la mesa.

5

DESAFÍO 3

Yo _____ los
platos.

8

María _____
el césped.

11

Juan y Luis cortan
el _____.

Tú _____ la
ventana.

9

Ellos _____
el suelo.

10

12

DESAFÍO 4

Yo _____
música.

15

Tú _____
correos electrónicos.

14

_____ lavar
los platos.

13

Metros: _____.

Cultura

Adivinanzas en el Viejo San Juan

Answer the following riddles some people in Old San Juan are asking you.

Each correct answer will give you a *llave* (key). Collect five keys in order to get into a typical Old San Juan house.

1. Es el centro tradicional de la capital de Puerto Rico.

   _____

2. Es un castillo muy antiguo. Está en la bahía del Viejo San Juan.

   _____

3. Es un estilo de música muy famoso en Puerto Rico.

   _____

4. Es la casa del coquí.

   _____

5. Es una bahía. Está en la isla de Vieques.

   _____

Llaves: _____ .

Nombre: .... Fecha: ....

DESAFÍOS EN CENTROAMÉRICA

1 **En la tienda**

▶ **Lee y relaciona.** Read the dialogues and match each one with the photo that best represents what is happening.

1

LAURA: ¿Cuánto cuesta el sombrero?

SERGIO: Cuesta 20 quetzales.

LAURA: Es barato.

2

SUSANA: ¿Por qué no llevas zapatos?

MARIO: Porque las sandalias son más auténticas.

3

MARINA: Me gusta el vestido.

SERENA: A mí también me gusta.

▶ **Responde.** Answer the questions with the appropriate names of the people in the conversations above.

1. Who wants to know a price?

_____

2. Who wears sandals?

_____

3. Who likes the dress?

_____

4. Who thinks the hat is cheap?

_____

2 Una tienda enorme

▶ **Escribe.** Look in this store and write the name of the item each sentence refers to.

1. Están encima de la mesa. _____unos pantalones_____

2. Hay dos: a la izquierda y a la derecha de la puerta. _____

3. Está a la derecha de la mesa. _____

4. Están en la estantería detrás de la mesa. _____

5. Son largos y están a la izquierda de la mesa. _____

6. No están encima de la mesa. No están en la estantería. _____

EXPRESIONES ÚTILES

3 El precio

▶ **Elige.** Choose the right function for each expression and circle it.

1. ¿Cuánto cuesta el sombrero?

    a. To ask for prices.   b. To give prices.   c. To say something is on sale.

2. El sombrero cuesta veinte quetzales.

    a. To ask for prices.   b. To give prices.   c. To say something is on sale.

3. El sombrero está en oferta.

    a. To ask for prices.   b. To give prices.   c. To say something is on sale.

Español Santillana. Practice Workbook. Unidad 3

Nombre: ....   **Fecha:** ....

EL CENTRO COMERCIAL

ir de compras	to go shopping	**Las tiendas**
mirar vitrinas	to window-shop	
comprar	to buy	la papelería stationery store
vender	to sell	la tienda de música music store
		la tienda de regalos gift shop
el cliente / la clienta	customer	la tienda de ropa clothing store
el vendedor / la vendedora	salesperson	la zapatería shoe store

El horario

¿A qué hora abre...?	At what time does ... open?
¿A qué hora cierra...?	At what time does ... close?
abierto(a)	open
cerrado(a)	closed

¡Qué pena! La **tienda** está **cerrada**.

4 **En el centro comercial**

▶ **Lee y relaciona.** Read the sentences and write the appropriate number below the corresponding picture.

1. En la zapatería hay una clienta. Es mayor.
2. Hay dos clientes en la tienda de ropa: una chica joven y un hombre alto.
3. En la tienda de música hay un niño delgado. Quiere comprar un CD.
4. El vendedor de la papelería es un hombre rubio.
5. No hay clientes en la tienda de música: está cerrada.
6. Un chico y una chica miran vitrinas en el centro comercial.

5 **¿Hay una zapatería?**

▶ **Completa.** Complete the map with the words in the boxes.

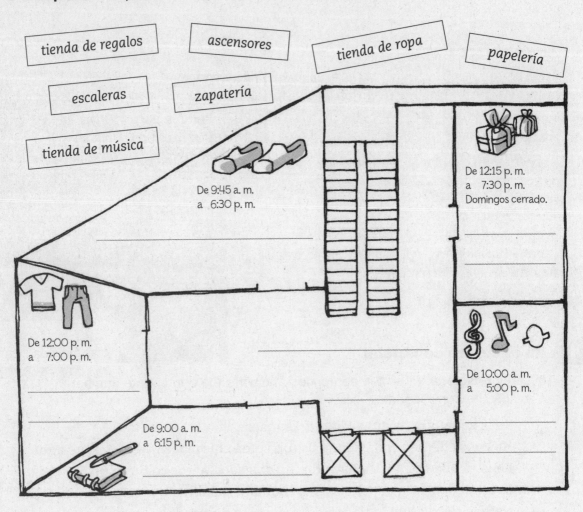

tienda de regalos   ascensores   tienda de ropa   papelería

escaleras   zapatería

tienda de música

6 **El horario del centro comercial**

▶ **Responde.** Study the map above, then answer the questions in complete sentences.

1. ¿Qué tiendas están abiertas a las 9:30 a. m.?

_____

2. ¿Qué tiendas están cerradas a las 6:45 p. m.?

_____

3. ¿A qué hora abre la tienda de música?

_____

4. ¿Cuándo está cerrada la tienda de regalos?

_____

Nombre: ....   Fecha: ....

VERBOS CON RAÍZ IRREGULAR: E > IE

CERRAR

yo	cierro	nosotros nosotras	cerramos
tú	cierras	vosotros vosotras	cerráis
usted él ella	cierra	ustedes ellos ellas	cierran

Other verbs like *cerrar: empezar, entender, pensar, preferir, querer.*

¿A qué hora **cierran** ustedes?

Cerramos a las ocho.

7 **Verbos, verbos, verbos**

▶ **Completa.** Read the clues and complete the crossword puzzle with the correct form of the verb in parentheses.

HORIZONTAL   1. (querer) ¿_____ usted comprar ropa?

2. (pensar) Nosotras, las vendedoras, _____ en los clientes.

VERTICAL   3. (querer) Sí, yo _____ mirar vitrinas.

4. (cerrar) A las ocho. Todas las tiendas _____ a las ocho.

5. (cerrar) ¿A qué hora _____ Ana Alba su zapatería?

6. (pensar) Yo siempre _____ en bonitos vestidos.

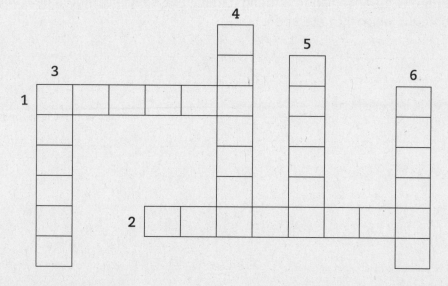

8 **¿Qué me preguntan?**

▶ **Lee y escribe.** Read the answers, then write the questions.

1. _____ Empiezo las clases a las 9:30.

2. _____ Sí, nosotras preferimos las tiendas pequeñas.

3. _____ No, las tiendas no cierran hoy.

4. _____ Sí, nosotros entendemos las preguntas.

5. _____ No, ellas no quieren zapatos.

9 **Un nuevo centro comercial**

▶ **Lee y responde.** Read the review and answer the shopper's questions.

1. ¿Cuándo abre el nuevo centro comercial?

   _____

2. ¿Cuántas tiendas de ropa hay?

   _____

3. ¿Los vendedores entienden inglés?

   _____

4. ¿Abren las tiendas el fin de semana?

   _____

> **Nuevo centro comercial internacional**
>
> Hoy abre el Centro comercial del Pacífico.
>
> La variedad de tiendas es excepcional. Hay doce tiendas de ropa muy famosas y cuatro zapaterías. También hay tiendas de regalos, de música y una papelería enorme. ¡Y los vendedores entienden inglés, español y portugués!
>
> Las tiendas abren de lunes a viernes.

10 **Tu centro comercial favorito**

▶ **Escribe.** Write an e-mail to a friend naming two specialty stores near your home and saying when they are open.

_____

_____

_____

_____

_____

_____

_____

Español Santillana. Practice Workbook. Unidad 3

Nombre: ....   **Fecha:** ....

EL VERBO IR			
yo	**voy**	nosotros nosotras	**vamos**
tú	**vas**	vosotros vosotras	**vais**
usted él ella	**va**	ustedes ellos ellas	**van**

11 **Toda la familia**

▶ **Relaciona y escribe.** Match each box with a sentence part, then write the corresponding part of the sentence next to the appropriate person.

1. vamos de compras los sábados.

2. voy a la papelería.

3. va a la tienda de música.

4. van a la tienda de ropa.

Mi padre y yo _____

Yo _____

Mi madre _____

Mis hermanas _____

12 En orden

▶ **Ordena y escribe.** Put the words in order and write correct sentences. Remember to write the correct form of the verb *ir*.

1. a la escuela / tú / el sábado / ir

¿_____?

2. a la tienda de música / tú y yo / hoy / ir

¿_____?

3. tus primos / a la zapatería / ir

¿_____?

13 De compras

▶ **Lee y escribe.** Read the clues and write a sentence to say which store each person is going to.

1. Tengo que comprar un cuaderno.

_Voy a la..._____

2. Mamá y yo necesitamos un regalo para la abuela.

_____

3. Mi tío escucha música clásica.

_____

4. Marta quiere un vestido para la fiesta del sábado.

_____

5. No tengo ropa para el concierto.

_____

14 Dos tiendas

▶ **Escribe.** Write two sentences about the stores you go to on weekends.

_Los fines de semana..._____

_____

_____

_____

Nombre: ....   **Fecha:** ....

15 **¿Adónde vas?**

▶ **Lee y elige.** Read the dialogue and circle the correct answer.

> JOAQUÍN: Hola, Marta.
>
> MARTA: Hola, Joaquín.
>
> JOAQUÍN: ¿Adónde vas?
>
> MARTA: Voy a la tienda de música. Tengo que comprar un CD.
>
> JOAQUÍN: La tienda de música cierra a las seis. Son las seis y cinco.
>
> MARTA: ¡Pero yo tengo que comprar un regalo!
>
> JOAQUÍN: La tienda de regalos cierra a las siete y media.
>
> MARTA: Ah, entonces voy. ¡Muchas gracias!

1. Marta tiene que…
   a. comprar un regalo.   b. comprar un CD.

2. La tienda de música…
   a. está cerrada.   b. está abierta.

3. Finalmente, Marta va a…
   a. la tienda de regalos.   b. la tienda de música.

▶ **Escribe.** Use the pictures to write another conversation similar to the one above.

_____   Destino 1:
_____   tienda de regalos
_____
_____
_____
_____
_____   Destino 2:
_____   papelería
_____
_____
_____

16 De compras con Pedro

▶ **Lee y completa.** Use the correct forms of the verbs in parentheses to complete this e-mail from Miguel to his friend Pedro.

Para: _____

CC: _____

CCO: _____

Asunto: _____

Hola, Pedro:

¿Qué tal estás? ¿Tienes planes para mañana? Yo (querer) 1. _____

ir de compras, pero no (ir) 2. _____ a las tiendas de mi barrio:

los vendedores son antipáticos.

¿Tú (ir) 3. _____ de compras al centro comercial de tu barrio?

Mis padres siempre (ir) 4. _____ allí. Son buenos clientes.

¿(Querer) 5. _____ ir de compras? Yo (empezar)

6. _____ el día a las siete y media de la mañana.

Yo (preferir) 7. _____ ir de compras por la tarde. ¿A qué hora

(cerrar) 8. _____ las tiendas en tu barrio?

Hasta luego,

　　　　Miguel

▶ **Elige.** Based on the e-mail, mark if the following sentences are true (*C*) or false (*F*).

1. Miguel quiere ir de compras en su barrio.　　　　C　　F

2. Los padres de Miguel compran en el barrio de Pedro.　　C　　F

3. Miguel quiere ir de compras por la mañana.　　　C　　F

4. Miguel empieza el día a las siete y media.　　　C　　F

17 La respuesta de Pedro

▶ **Escribe.** Write Pedro's response to Miguel.

_____

_____

_____

_____

Nombre: ....　　　**Fecha:** ....

LA ROPA

		El calzado	
la blusa	*blouse*		
la camisa	*shirt*	las botas	*boots*
la camiseta	*T-shirt*	las sandalias	*sandals*
la chaqueta	*jacket*	los tenis	*sneakers*
la falda	*skirt*	los zapatos	*shoes*
los pantalones	*pants*	los calcetines	*socks*
los pantalones cortos	*shorts*		
el suéter	*sweater*		
el vestido	*dress*		
la bufanda	*scarf*		
el gorro	*cap*		
los guantes	*gloves*		
el sombrero	*hat*		

En invierno, siempre llevo **suéter**.

18　Un montón de ropa

▶ **Escribe.** Write down the name of each clothing item.

Ⓐ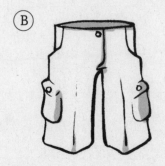

Ⓒ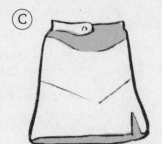

Ⓔ

_____　　_____　　_____

Ⓑ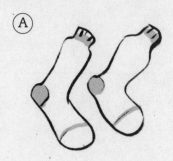

Ⓓ

Ⓕ

_____　　_____　　_____

19 **Ropa para muchas ocasiones**

▶ **Elige.** Circle the clothing items that logically complete each sentence.

1. Ana va a una fiesta formal. Es verano. Lleva una blusa / una camiseta y unos pantalones cortos / una falda. Lleva sandalias / zapatos y guantes / calcetines.

2. Toni va al colegio. Es invierno. Lleva una camisa / una chaqueta / un pantalón corto. Lleva botas / sandalias.

3. Las hermanas de Marta van a la oficina. Es verano. Llevan vestidos / pantalones y suéteres / camisetas. Llevan botas / zapatos.

4. Andrés y su amigo Pedro van al centro comercial. Es invierno. Llevan chaquetas / una camisa / bufandas. Llevan botas / tenis.

20 **¿Qué llevan?**

▶ **Escribe.** Write a description of the following people's clothes.

Ella lleva _____
_____
_____
_____
_____
_____
_____

Él lleva _____
_____
_____
_____
_____
_____
_____

Nombre: ....   **Fecha:** ....

EL VERBO GUSTAR

	singular	plural
A mí	me gusta	me gustan
A ti	te gusta	te gustan
A él A ella A usted	le gusta	le gustan
A nosotros A nosotras	nos gusta	nos gustan
A vosotros A vosotras	os gusta	os gustan
A ellos A ellas A ustedes	les gusta	les gustan

En verano, **me gusta** llevar sandalias.

---

21   **¿Te gusta o te gustan?**

▶ **Subraya y responde.** Underline the correct form of *gustar* to complete each question. Then write the answers in complete sentences.

1. ¿Te gusta / gustan las faldas?

_____

2. ¿Te gusta / gustan los vestidos?

_____

3. ¿Te gusta / gustan la bufanda?

_____

4. ¿Te gusta / gustan los tenis?

_____

5. ¿Te gusta / gustan los guantes?

_____

▶ **Escribe.** Write a sentence telling three clothes you like and three you don't like.

_____

_____

22 Opiniones ordenadas

▶ **Ordena y escribe.** Put the words in order and write correct sentences.

1. gustan / a mis amigos / los pantalones cortos / no / les

   _____.

2. ir de compras / les / a mis padres / gusta

   _____.

3. a las chicas / les / las faldas / no / gustan

   _____.

4. gusta / a los chicos / ir de compras / les

   _____.

5. mi chaqueta / a mi profesor / gusta / le / no

   _____.

6. le / a mi madre / mi / gusta / bufanda

   _____.

23 Gustos personales

▶ **Completa.** Complete the following conversations with the object pronouns in the box. You may use some of them more than once.

le	1. —¿A ti _____ gustan las tiendas de música?
	—Sí, a mí _____ gusta la música.
les	2. —¿A Marco y a Ana _____ gustan los centros comerciales?
	—No, no _____ gustan los centros comerciales.
me	
	3. —¿A Carmen _____ gusta llevar sombreros?
nos	—No, a Carmen no _____ gustan los sombreros.
	4. —A Marta y a mí no _____ gustan las botas.
te	—¿Y _____ gusta llevar zapatos?

Español Santillana. Practice Workbook. Unidad 3

Nombre: ....   **Fecha:** ....

24 Una tarde de compras

▶ **Lee y relaciona.** Read the e-mail and match each garment with the person Ana is buying it for.

> Querida mamá:
>
> Hoy voy de compras. Quiero una camiseta, unas sandalias y una falda. Empieza el calor y no me gusta llevar siempre pantalones.
>
> Necesito un regalo para los tíos y los primos. ¿Qué compro para los tíos? ¿Ropa? ¡Un sombrero para mi tío y una bufanda para la tía!
>
> ¿Y tu regalo, mami? ¿Te gustan los textiles guatemaltecos? La ropa tradicional es bonita. ¿Quieres un huipil o una falda indígena? Voy a comprar un huipil.
>
> Besos,
>
>   Ana

| Ana | Mamá de Ana | Tía de Ana | Tío de Ana |

25 ¿Qué llevas hoy?

▶ **Dibuja y escribe.** Draw a picture of yourself or glue a photo here. Describe what you are wearing. Organize the information: start from your head and work down.

26 **¿Hay errores?**

▶ **Corrige.** The signs at the shopping center have mistakes. Correct them. Check the spelling, accents, punctuation and grammar.

| 1. Foldas y pantalons. $10.00 |

1. _____
_____

| 2. Calzado en oferta!
Tnis, bots y zapato. |

2. _____
_____

| 3. ¡Ropa de invierno en oferta.
Goros, gunte y buandas. |

3. _____
_____

| 4. Le gusta las haquets? |

4. _____
_____

27 **La maleta perdida**

▶ **Lee y escribe.** Luci is talking to Amaya about her family's lost suitcases. Write a list of the clothes she and her family are missing.

> Mis hermanos tienen calcetines y tenis, pero no tienen zapatos. Mi padre tiene botas, pero no tiene calcetines. Mi madre tiene zapatos, pantalones, faldas y guantes, pero solo tiene una sandalia.
>
> Yo llevo mi vestido favorito y tengo tres blusas. Pero no tengo faldas y no tengo pantalones. No necesito calcetines porque llevo sandalias, pero necesito un suéter: hace frío por la noche.

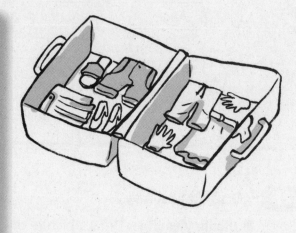

Luci: _____

Los hermanos de Luci: _____

El padre de Luci: _____

La madre de Luci: _____

▶ **Responde.** Which member of Luci's family does the suitcase belong to? Why?

_____

_____

Español Santillana. Practice Workbook. Unidad 3

Nombre: ....   **Fecha:** ....

DESCRIBIR LA ROPA Y EL CALZADO

Características

ancho(a)	*wide*
estrecho(a)	*tight*
corto(a)	*short*
largo(a)	*long*
cómodo(a)	*comfortable*

Materiales

el algodón	*cotton*
el cuero	*leather*
la lana	*wool*

Los colores

amarillo(a)	*yellow*		
anaranjado(a)	*orange*		
azul	*blue*		
blanco(a)	*white*		
morado(a)	*purple*		
negro(a)	*black*		
rojo(a)	*red*		
rosado(a)	*pink*		
verde	*green*		

Me gusta mi camisa **de algodón.**

28 Colores bonitos

▶ **Lee y colorea.** Read the descriptions and color the clothes.

1. Tengo un suéter rosado.

3. Me gustan los calcetines rojos.

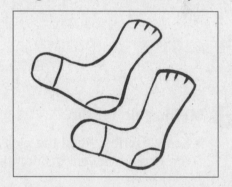

2. Mi falda es de lana verde.

4. ¿Tienes una bufanda morada?

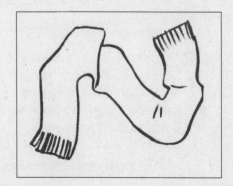

29 **Son largos**

▶ **Escribe.** Write the words that best describe each clothing item. Pay attention to their characteristics and to the materials they are made of.

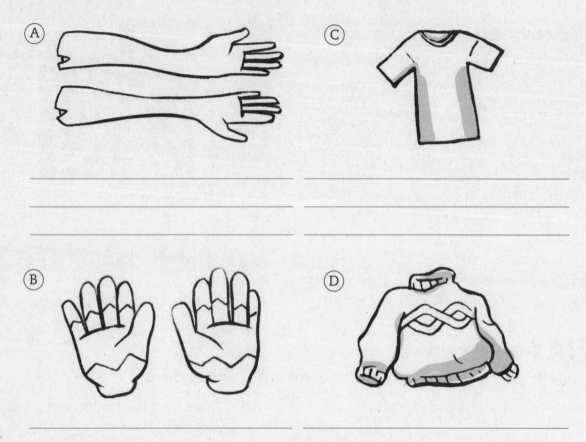

Ⓐ

_____
_____
_____

Ⓒ

_____
_____
_____

Ⓑ

_____
_____
_____

Ⓓ

_____
_____
_____

30 **Mi blog de moda**

▶ **Lee y escribe.** Read the blog, then write your own blog about what people are wearing at your school this year.

12/12/2011

La moda en el colegio

Este año, los chicos de mi colegio llevan pantalones anchos. Les gusta la ropa cómoda. Les gustan las camisas de algodón, pero nunca llevan camisas rojas.

_____
_____
_____
_____
_____
_____
_____
_____
_____
_____

Español Santillana. Practice Workbook. Unidad 3

Nombre: ....　　　**Fecha:** ....

LOS DEMOSTRATIVOS

Distance	singular		plural	
	masculino	femenino	masculino	femenino
Near	este	esta	estos	estas
At a distance	ese	esa	esos	esas
Far away	aquel	aquella	aquellos	aquellas

¿Te gusta **este** gorro?

31　**¿Quién es quién?**

▶ **Relaciona y escribe.** Look at the people below. Read the sentences and write the appropriate number in each box.

1. este chico moreno

2. esta mujer rubia

3. aquel chico rubio

4. esa chica rubia

5. aquella chica rubia

6. aquel chico moreno

7. estas chicas

8. esas chicas

9. aquellos chicos morenos

10. aquel hombre

You are here.

32 **¿Adónde van Andrés y Sara?**

▶ **Elige.** Read the text and color the stores that Andrés and Sara are visiting.

> ANDRÉS: ¿Adónde vamos? ¿Quieres ir a esa papelería?
>
> SARA: No, prefiero ir a aquella papelería. Está cerca del parque.
>
> ANDRÉS: Vale. Luego quiero ir a esta zapatería.
>
> SARA: ¡No! Vamos a aquella. Está al lado de la papelería.
>
> ANDRÉS: Tengo que comprar un gorro. ¿Vamos a esa tienda de ropa?
>
> SARA: No, vamos a aquella tienda de allí.
>
> ANDRÉS: ¿Por qué?
>
> SARA: Esa tienda está cerca del colegio.

33 **Describimos la tienda**

▶ **Escribe.** Complete Antonio's description of the clothes on the clothes stand.

Estas bufandas son...

Nombre: ....   **Fecha:** ....

LA COMPARACIÓN

más	+ adjetivo +	**que**	*(more ... than)*
menos	+ adjetivo +	**que**	*(less ... than)*
tan	+ adjetivo +	**como**	*(as ... as)*

Special forms:

mejor *(better)*

peor *(worse)*

Mi camiseta es **más** bonita **que** su camiseta.

34 **¿Son iguales?**

▶ **Elige.** Look at the pictures and mark if the statements are true (*C*) or false (*F*).

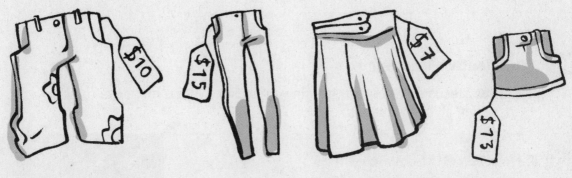

1. Los pantalones de $10 son más largos que los pantalones de $15.   C   F
2. Los pantalones de $15 son menos estrechos que los pantalones de $10.   C   F
3. La falda de $7 es más larga que la falda de $13.   C   F
4. La falda de $13 es más ancha que la falda de $7.   C   F
5. La falda de $7 es menos corta que la falda de $13.   C   F

▶ **Escribe.** Explain which of the clothing items above are more comfortable.

_____

_____

_____

_____

_____

35 **¿Quién es más alto?**

▶ **Ordena, escribe y elige.** Put the words in each box in order and write a sentence. Then, mark if the sentences are true (*C*) or false (*F*) according to the picture.

1.
| el niño / la niña / alto / tan / como / es |

3.
| la mujer / como / tan / es / alta / la niña |

2.
| más / contento / el hombre / la mujer / está / que |

4.
| los niños / la mujer / bajos / que / más / son |

1. _____ C F

2. _____ C F

3. _____ C F

4. _____ C F

36 **¿Camiseta o suéter?**

▶ **Escribe.** Jesús left a note for you in your locker. Write a response to him answering all his questions.

¡Hola!

¡Adivina! ¡En mayo voy a Guatemala! ¿Qué ropa tengo que llevar? ¿Es mejor un suéter o una camiseta? ¿Son mejores los pantalones cortos o los pantalones largos? Necesito tu ayuda.

Gracias,

    Jesús

_____

_____

_____

_____

_____

_____

Nombre: .... Fecha: ....

37 **Objetos perdidos**

▶ **Completa.** Peter and Mary are at the lost and found office looking for the clothes Peter left in the gym. Complete the conversation with the words in the box.

alto	largo	ancho	corto	estrecho	ancho

Objetos perdidos

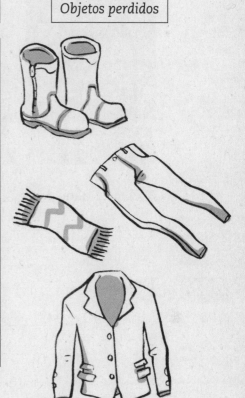

> **MARY:** Mira. ¡Tu ropa!
>
> **PETER:** No. Mis botas son más _____ que esas botas.
>
> **MARY:** ¿Y los pantalones? ¿Tus pantalones son tan _____ como esos pantalones?
>
> **PETER:** Sí, pero mis pantalones son más _____ que esos pantalones.
>
> **MARY:** Tu bufanda es blanca, ¿no?
>
> **PETER:** Sí, pero mi bufanda es más _____ que esa bufanda.
>
> **MARY:** ¿Y tu chaqueta? Es naranja. ¿Es tan _____ como esa chaqueta?
>
> **PETER:** No. Mi chaqueta es más _____ que esa chaqueta. ¡Es más cómoda!

38 **¿Es tu maleta?**

▶ **Lee y relaciona.** Read the following descriptions and write the appropiate suitcase's letter next to each name.

> Bárbara Lozano: «En mi maleta hay sandalias y un gorro de algodón. También hay una camiseta y unos pantalones cortos».

> Teresa Cárdenas: «En mi maleta hay pantalones largos de algodón. Mis botas son altas y tengo un gorro de lana».

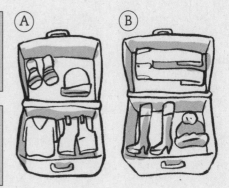

Bárbara Lozano _____   Teresa Cárdenas _____

39 **El uniforme del colegio**

▶ **Escribe.** Write a description of the following uniforms and compare them.

Chicos   Chicas

El chico 1 tiene _____

_____

_____

_____

_____

_____

_____

_____

_____

▶ **Escribe y compara.** Write a comparison between the clothes above and what you wear.

En mi colegio, mis compañeros y yo... _____

_____

_____

_____

_____

_____

_____

_____

_____

Nombre: ....   **Fecha:** ....

LAS COMPRAS

barato(a)	*cheap, inexpensive*		
caro(a)	*expensive*		
el precio	*price*		
el dinero	*money*		
la tarjeta	*credit card*		
costar	*to cost*		
gastar	*to spend*		
pagar	*to pay*		
el número	*shoe size*		
la talla	*size*		

Expresiones

¿Cuánto cuesta(n)...?	*How much does ... cost?*
estar en oferta	*to be on sale*
estar de moda	*to be in fashion*
quedar bien	*to fit well*
quedar mal	*to fit badly*
quedar grande	*to be too big*
quedar pequeño	*to be too small*
ser de (mi) talla	*to be (my) size*

¿Quiere pagar con **tarjeta**?

---

40 **¿Caro, barato?**

▶ **Escribe.** Write a word for each numbered element in the picture.

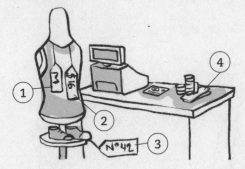

1. _____

2. _____

3. _____

4. _____

---

41 **¿Cuánto cuesta cada cosa?**

▶ **Elige**. Choose the correct price for each item according to the sentences.

> *Los pantalones son más caros que las camisas. Además, las camisas son más baratas que los guantes. Y los guantes son más caros que los pantalones.*

Los pantalones cuestan: a. ochenta y nueve dólares.   b. cincuenta dólares.

Las camisas cuestan: a. cien dólares.   b. sesenta y ocho dólares.

Los guantes cuestan: a. noventa y nueve dólares.   b. veintitrés dólares.

42 **¿Cómo le queda?**

▶ **Escribe.** Match each person with an appropriate speech bubble. Write the correct number below each picture.

1. Esta chaqueta me queda grande.

4. Este suéter me queda bien.

2. Esta chaqueta me queda estrecha.

5. Este suéter me queda grande.

3. Este vestido me queda mal.

6. Esta camiseta me queda pequeña.

 A

C

E

_____

B

D

F

_____

43 **A mí me queda bien**

▶ **Escribe.** Write what looks good on you.

Me queda(n) bien... _____

_____

_____

Nombre: ....   **Fecha:** ....

VERBOS CON RAÍZ IRREGULAR: O > UE

PODER

yo	puedo	nosotros nosotras	podemos
tú	puedes	vosotros vosotras	podéis
usted él ella	puede	ustedes ellos ellas	pueden

Other verbs like *poder: contar, volar, recordar, volver.*

Sí, aquí **puede** pagar con dólares americanos.

44   En el mercado

▶ **Completa.** Read and complete the text with the correct form of the verb in parentheses.

Querida María:

¿(Recordar) 1. _____ el mercado de Chichicastenango?
Es un mercado maravilloso. Los clientes no (poder) 2. _____
pagar con tarjeta y solo hay mercado dos días a la semana, pero ¡hay tanta
gente diferente! Además, los textiles (costar) 3. _____ poco
dinero. Yo (volver) 4. _____ a Guatemala en mayo. (Poder)
5. _____ comprar unos muñecos quitapenas. ¿Quieres tú
un muñeco?

                    Sara

45   Precios diferentes

▶ **Escribe.** Write sentences telling how much each item costs.

 32$

 69$

 99$

1. _____

2. _____

3. _____

46 **¿Qué pueden hacer?**

▶ **Escribe.** Write sentences telling what each person can or cannot do.

1. Ellos / pasear _____

2. Tú / usar _____

3. Nosotros / lavar _____

4. Ella / hablar _____

5. Ustedes / pagar _____

6. Yo / lavar _____

47 **En mi ciudad**

▶ **Responde.** Answer the following questions about the stores in your town.

1. ¿Cuánto cuestan los cuadernos en tu barrio?

_____

2. ¿Dónde puedes pagar con tarjeta?

_____

Nombre: ....   Fecha: ....

48 ¡En oferta!

▶ **Corrige.** Correct the following labels from a shop.

> **Bienvenidos a la tienda de ropa Salazar**
>
> 1. En la tienda Salazar usted puedes pagar con dinero de crédito.
>
> _____
>
> 2. ¡Toda nuestra ropa está en oferta! ¡Es muy cara!
>
> _____
>
> 3. Los pantalones de cuero cuesta sesenta dólares.
>
> _____
>
> 4. Ustedes pueden costar con dinero.
>
> _____
>
> 5. Todos nuestros productos tienen dineros buenos.
>
> _____

49 Un anuncio

▶ **Dibuja y escribe.** Write and draw an ad for a clothing store. Include the information in the box.

1. *El nombre de la tienda.*
2. *Prendas y colores.*
3. *Productos en oferta.*
4. *Modos de pago.*

50 **Crucigrama de las compras**

▶ **Lee y completa.** Read the clues and complete the crossword puzzle.

HORIZONTAL   1. ¿Cuánto _____ ese vestido?

                      2. Opuesto de *quedar mal*.

                      3. ¿_____ pagar con tarjeta de crédito?

                      4. Mis camisas no son verdes; son _____.

VERTICAL   5. Treinta y dos + veintiocho = _____.

                      6. Cincuenta y uno + diecinueve = _____.

                      7. Compro todos los días. _____ dinero todos los días.

                      8. No es caro. Es _____.

▶ **Escribe.** Write a sentence telling the prices of three things you have in your locker.

_____

_____

Nombre: .... **Fecha:** ....

51 El mercado de artesanía

▶ **Lee y responde.** Read about the Artisan Market and answer the questions.

> **El mercado de artesanía**
>
> El mercado tiene veintisiete tiendas de artesanía guatemalteca. En él hay tiendas de textiles, de cerámica y de joyas.
>
> La entrada al mercado no cuesta dinero, pero tienes que comprar algún artículo.
>
> El mercado abre a las siete de la mañana y las tiendas abren entre las nueve y las once de la mañana. Algunas tiendas no abren el sábado.

1. ¿Qué productos puedes comprar en el mercado?

_____

2. ¿Cuántas tiendas hay en el mercado?

_____

3. ¿Cuánto cuesta entrar al mercado?

_____

▶ **Escribe.** Write five things you can buy at this market.

_____

52 El horario del mercado

▶ **Ordena y escribe.** Put the words in order and write correct sentences.

1. abren / tiendas / el sábado / algunas / no

_____

2. el mercado / las siete / a / abre / de la mañana

_____

3. las once / del mercado / abren / las tiendas / las nueve / y / entre

_____

53 **Los gustos de los famosos**

▶ **Escribe.** Think about three famous people you like and answer the questions.

1. ¿Qué ropa les gusta?

_____
_____
_____

2. ¿Qué colores les gustan?

_____
_____
_____

3. ¿Qué ropa les queda bien?

_____
_____
_____

54 **Muñecos de todo el mundo**

▶ **Escribe.** Write a comparison among Guatemalan worry dolls and other dolls you know. Use the words in the box as a reference.

tamaño	material	colores	puntos de venta	precio

_____
_____
_____
_____
_____
_____
_____
_____

Nombre: .... **Fecha:** ....

55 Actividades en Guatemala

▶ **Escribe.** Write the names of the places in Guatemala where you can do the following activities.

1. Admirar máscaras de jade: _____

2. Comprar huipiles y muñecos quitapenas: _____

3. Comprar ropa moderna: _____

4. Visitar importantes templos mayas: _____

56 Típico de Guatemala

▶ **Corrige y escribe.** The following sentences have mixed information. Correct them and write each one below the appropriate photo.

El ave del norte de las mujeres en Guatemala es el Parque Nacional de Tikal.

La blusa simbólica con muchas ruinas mayas es el quetzal.

La región tradicional de la bandera de Guatemala es el huipil.

A

B

_____   _____

_____   _____

C

_____

_____

57 El jade

▶ **Lee y relaciona.** Read the e-mail Alan sent to his friend Ann. Match the sentences' beginnings from column A with appropriate endings from column B.

> Querida Ann:
>
> Estoy en Antigua y quiero comprar un regalo de jade para mi hermana. ¡Pero todo es muy caro! No hay jade en oferta en las tiendas de la ciudad.
>
> Mañana voy al mercado de artesanía. Me gusta mucho la artesanía, pero a mi hermana no le gustan los artículos de cuero.
>
> ¿Qué regalos son tan buenos como el jade, pero menos caros? Gracias por tu ayuda.
>
> Alan

A

1. Antigua es
2. Alan no encuentra jade en oferta
3. Alan quiere comprar
4. Mañana Alan va
5. Alan no necesita

B

a. en las tiendas de Antigua.
b. al mercado de artesanía.
c. un artículo de cuero.
d. un regalo para su hermana.
e. famosa por el jade.

58 Dos buenas ideas

▶ **Escribe.** Write a paragraph suggesting two gifts for Alan's sister. Say where to buy the gifts you suggest.

_____
_____
_____
_____
_____
_____
_____
_____
_____
_____
_____

El juego del conocimiento

Complete the sentences. Correct sentences are worth 2 points. For mistakes in spelling or agreement, subtract 1 point. In square number 16, color the garment.

⚑ DESAFÍO 1

1 ¿Qué tienda vende guitarras?

_____.

2 Yo vendo. Soy el

_____.

3 Yo no vendo. Yo compro. Soy una

_____.

4 Es una

_____.

5 —¿Adónde _____?
—Voy al centro comercial.

6 —¿A qué hora _____ las tiendas?

—_____ a las nueve y

_____ a las siete.

⚑ DESAFÍO 2

7 Es _____.

8 Me gusta

_____.

9 A mi padre _____ gustan

las _____

10 Son unos

_____

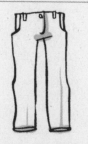

11 A mí no _____ gustan las sandalias. ¿Y a ti?

¿_____ gustan?

12 Llevo _____,

_____ y

_____.

DESAFÍO 3

13 Estos pantalones no son estrechos. Son _____.	14 Los pantalones anchos son más _____ que los pantalones estrechos.	15 ¿Te gusta _____ sombrero? 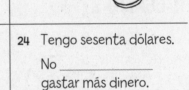
16 Colorea esta falda de color verde:	17 Los tenis son _____ cómodos _____ los zapatos.	18 Soy _____ alto _____ mi hermano. 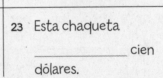

DESAFÍO 4

19 ¿Cuánto cuestan los pantalones? 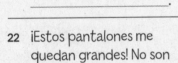 _____	20 No _____ pagar con _____ _____.	21 Los _____ están en _____. Antes $45. Ahora $16,99.
22 ¡Estos pantalones me quedan grandes! No son _____.	23 Esta chaqueta _____ cien dólares.	24 Tengo sesenta dólares. No _____ gastar más dinero.

Cultura

25 Ciudad del centro de Guatemala rodeada de volcanes → _____

26 Piedra preciosa sagrada para los mayas → _____

27 Blusa larga del traje tradicional guatemalteco → _____

28 Gran mercado al aire libre de Guatemala → _____

29 La moneda de Guatemala → _____

30 Un gran sitio arqueológico maya → _____

Nombre: ....   Fecha: ....

DESAFÍOS EN LOS ANDES

1 **En Perú**

▶ **Ordena.** Unscramble the words in parentheses.

> A
>
> Nosotros servimos (éfca) _____ y
> (lcchtooae) _____.
> No hacemos sancochados. Lo siento.

> C
>
> El sancochado es una sopa. Contiene
> (aercn) _____ y
> (rsvdreau) _____.

> B
>
> En este restaurante tienen la
> (rctaee) _____
> más famosa de Lima.

> D
>
> Este (tlpoa) _____ está listo
> para poner en la
> (aesm) _____.

2 En Lima

▶ **Escribe.** Describe what the following people are wearing.

_____

_____

_____

▶ **Escribe.** Write down what kind of shoes do you think they are wearing.

_____

EXPRESIONES ÚTILES

3 ¡Delicioso!

▶ **Lee y completa.** Read and complete the following dialogues with expressions from the box.

Buen provecho	Qué rica	Qué lleva	Es saludable

1. —¿_____ el sancochado?

   —Verduras y carne.

2. —Nos gusta mucho el pescado.

   —A mí también. _____.

3. —Aquí tienen el sancochado. ¡_____!

   —Gracias. Usted es un chef excelente.

4. —El sancochado es una sopa. ¿Les gusta?

   —Sí. ¡_____!

Nombre: ....   **Fecha:** ....

COMIDAS Y BEBIDAS

Las comidas

el desayuno	breakfast
el almuerzo	lunch
la cena	dinner

Los alimentos

el arroz	rice
la carne	meat
la ensalada	salad
el chocolate	chocolate
los frijoles	beans
el huevo	egg
el maíz	corn
la mantequilla	butter
el pan	bread
la papa	potato
el pescado	fish
el pollo	chicken
la salsa	sauce
la sopa	soup
las verduras	vegetables

Acciones

desayunar	to have breakfast
almorzar	to have lunch
cenar	to have dinner

Los postres

el helado	ice cream
la torta	cake

Las frutas

la banana	banana
la manzana	apple
el maracuyá	passion fruit
la naranja	orange

Las bebidas

el agua	water
el café	coffee
el jugo	juice
la leche	milk
el refresco	soda

¡Qué rico! Y **el jugo de naranja** es saludable.

4 Un menú completo

▶ **Escribe.** Look at the photos and write the name of the appropriate food or drink.

1. _____   3. _____   5. _____

2. _____   4. _____   6. _____

5 Desayuno, almuerzo y cena

▶ **Lee y dibuja.** Read this person's meals for today and draw each food or drink.

> Hoy desayuno cereales y una banana. Almuerzo en la escuela: hoy hay pescado y ensalada. Y en casa, hay pollo con papas para cenar.

Desayuno	Almuerzo	Cena

6 ¡Qué confusión!

▶ **Lee y corrige.** This child confuses foods and drinks. Read his statements and correct the mistakes.

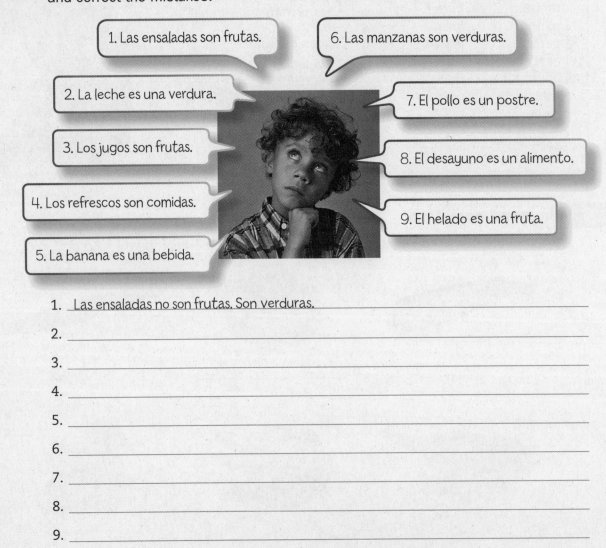

1. Las ensaladas son frutas.
6. Las manzanas son verduras.
2. La leche es una verdura.
7. El pollo es un postre.
3. Los jugos son frutas.
8. El desayuno es un alimento.
4. Los refrescos son comidas.
9. El helado es una fruta.
5. La banana es una bebida.

1. Las ensaladas no son frutas. Son verduras.
2. _____
3. _____
4. _____
5. _____
6. _____
7. _____
8. _____
9. _____

Nombre: ....   **Fecha:** ....

ADVERBIOS DE CANTIDAD

nada	*not at all*	bastante	*quite, enough*
poco	*little, not much*	mucho	*a lot, much*

Me gustan **mucho** las verduras y las ensaladas.

7 **¿Les gusta o no?**

▶ **Lee y elige.** Read the following statements and choose the appropriate picture for each one by circling its letter.

1. A María le gusta mucho el pollo.

   a.   b.   c.   d.

2. A Pedro no le gusta nada el helado.

   a.   b.   c.   d.

3. A Juan y a Susana les gustan bastante las bananas.

   a.   b.   c.   d.

4. A mis padres les gustan poco las papas.

   a.   b.   c.   d.

8 **Un cuestionario**

▶ **Escribe.** Write the question that prompted each answer.

1. ¿A ti te gusta el arroz con leche? _____

   Sí, me gusta bastante el arroz con leche.

2. _____

   No, no me gusta nada la carne.

3. _____

   Sí, a mi familia y a mí nos gustan las frutas.

4. _____

   No, a mis amigos no les gustan nada las sopas de verduras.

5. _____

   Sí, a mis abuelos les gustan bastante las ensaladas con maíz.

6. _____

   Sí, a mis hermanos y a mí nos gustan bastante los postres.

9 **Mis gustos**

▶ **Completa y escribe.** Complete the table with the foods and drinks in the box.

| banana | leche | frijoles | arroz | pescado | pollo |
| verduras | helado | pan | carne | papas | café |

NO ME GUSTA(N) NADA	ME GUSTA(N) POCO	ME GUSTA(N) BASTANTE	ME GUSTA(N) MUCHO

▶ **Escribe.** Write a text explaining what you like and don't like eating.

A mí no me gustan nada... _____

_____

_____

_____

Nombre: ....   **Fecha:** ....

LOS VERBOS QUERER Y PREFERIR (E > IE)

QUERER

yo	quiero	nosotras nosotros	queremos
tú	quieres	vosotras vosotros	queréis
usted él ella	quiere	ustedes ellos ellas	quieren

PREFERIR

yo	prefiero	nosotras nosotros	preferimos
tú	prefieres	vosotras vosotros	preferís
usted él ella	prefiere	ustedes ellos ellas	prefieren

¿Quieres café?
¿O prefieres un jugo?

10 Anuncios

▶ **Lee y elige.** Read the ads and circle the verb form that best completes each one.

1. ¿Quiere / Quieres usted una comida saludable? Nuestro pescado con verduras es muy rico.

2. ¡Nosotros quieren / queremos jugos de frutas para nuestros hijos!

3. ¿Qué prefieres / prefieren tú, torta o helado? Aquí tenemos los dos.

4. ¿Preferimos / Prefieren ustedes una cena romántica? Restaurante Lima: el restaurante favorito de los novios.

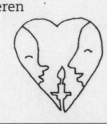

5. Los jóvenes quiere / quieren comidas ricas y rápidas. Nuestras comidas son ideales.

11 **¿Qué quieres?**

▶ **Elige y responde.** Complete each question with the indicated form of the verb in parentheses. Then answer the questions.

1. (querer) ¿Qué _____ desayunar tú?

_____

2. (querer) ¿Qué _____ comer tus amigos?

_____

3. (querer) ¿Qué _____ cenar tu profesor?

_____

4. (preferir) ¿A qué hora _____ desayunar tú?

_____

5. (preferir) ¿A qué hora _____ cenar tu familia y tú?

_____

6. (preferir) ¿A qué hora _____ cenar tu mejor amigo?

_____

12 **Una cena de cumpleaños**

▶ **Lee y escribe.** Read Ana's invitation and answer her questions.

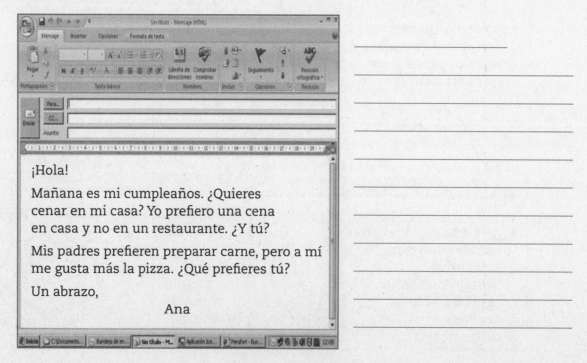

¡Hola!

Mañana es mi cumpleaños. ¿Quieres cenar en mi casa? Yo prefiero una cena en casa y no en un restaurante. ¿Y tú?

Mis padres prefieren preparar carne, pero a mí me gusta más la pizza. ¿Qué prefieres tú?

Un abrazo,

Ana

Nombre: ....   **Fecha:** ....

13 Opiniones

▶ **Escribe.** Put the words in order and write sentences with some of Adam's food preferences.

gustan	las	bastante	le	a	naranjas	él

1. _____

el	el	le	y	poco	arroz	queso	gustan	él	a

2. _____

carne	le	a	mucho	la	gusta	él

3. _____

él	le	a	nada	la	gusta	no	leche

4. _____

▶ **Ordena.** Order Adam's preferences from the one he likes most.

naranjas	arroz y queso	carne	leche

1. _____   2. _____   3. _____   4. _____

14 ¿Queremos o preferimos?

▶ **Completa.** Complete the dialogue with conjugated forms of *querer* and *preferir*.

JULIÁN: Hola, María. ¿1. _____ un helado?

MARÍA: No, gracias. 2. _____ una torta. ¿Te gusta la torta?

JULIÁN: Sí, pero 3. _____ los helados. Son más saludables.

MARÍA: ¿Sí? Mis padres también 4. _____ los helados.

JULIÁN: A mí me gusta la fruta.

MARÍA: A mí también, pero hoy 5. _____ celebrar mi cumpleaños.

15 Opiniones sobre la comida

▶ **Lee y elige.** Read the results of a survey about Peruvian eating preferences and mark if the sentences are true (*C*) or false (*F*).

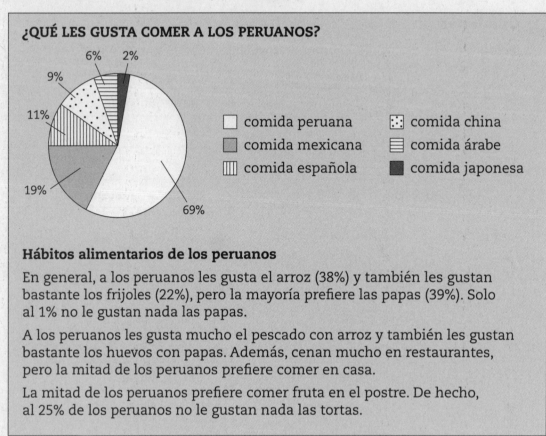

¿QUÉ LES GUSTA COMER A LOS PERUANOS?

6% 2%
9%
11%
19%
69%

☐ comida peruana   ⋮ comida china

▨ comida mexicana   ☰ comida árabe

▥ comida española   ■ comida japonesa

Hábitos alimentarios de los peruanos

En general, a los peruanos les gusta el arroz (38%) y también les gustan bastante los frijoles (22%), pero la mayoría prefiere las papas (39%). Solo al 1% no le gustan nada las papas.

A los peruanos les gusta mucho el pescado con arroz y también les gustan bastante los huevos con papas. Además, cenan mucho en restaurantes, pero la mitad de los peruanos prefiere comer en casa.

La mitad de los peruanos prefiere comer fruta en el postre. De hecho, al 25% de los peruanos no le gustan nada las tortas.

1. A los peruanos les gusta la comida peruana más que la comida china.   C   F

2. En Perú, la comida japonesa es más popular que la comida árabe.   C   F

3. A los peruanos no les gusta nada la comida mexicana.   C   F

4. Al 1% de los peruanos le gustan bastante las papas.   C   F

5. Los peruanos comen bastante en restaurantes.   C   F

6. Los peruanos prefieren comer fruta en el postre.   C   F

▶ **Responde.** Answer the same questions Peruvians were asked.

1. ¿De qué país es tu comida favorita?

_____

2. ¿Qué alimentos te gustan mucho?

_____

3. ¿Qué alimentos no te gustan nada?

_____

Nombre: ....   **Fecha:** ....

Abrimos **la panadería** a las ocho.

TIENDAS DE ALIMENTOS

la carnicería	butcher's shop
la frutería	fruit and vegetable store
la panadería	bakery
la pescadería	fish market
el supermercado	supermarket

ACCIONES EN LA COCINA

cocinar	to cook
cortar	to cut
mezclar	to mix
preparar	to prepare
probar	to taste

16 **¿Dónde están las tiendas?**

▶ **Responde.** Study the map and answer the questions.

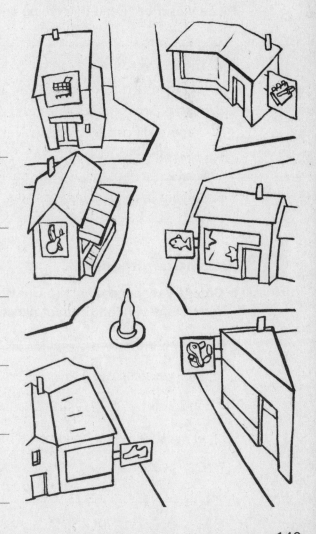

1. ¿Dónde está la frutería?

    Está al lado del supermercado.

2. ¿Dónde está la pescadería?

    _____

3. ¿Dónde está la carnicería?

    _____

4. ¿Dónde está la papelería?

    _____

5. ¿Dónde está la zapatería?

    _____

6. ¿Dónde está el supermercado?

    _____

17 De tiendas

▶ **Lee y escribe.** Read what the people want to do and write sentences explaining where they go.

1. Quiero preparar arroz con pollo.

   Voy al supermercado y a la carnicería.

2. Nosotras queremos cocinar carne con verduras.

3. Marisa y Susana quieren pan para desayunar.

4. Tú quieres comprar frutas.

18 ¡Qué receta!

▶ **Lee y escribe.** Read this recipe and write the steps in the correct order.

Carne con verduras
1. Probar la carne.
2. Cortar la carne y las verduras.
3. Comprar la carne en la carnicería.
4. Lavar las verduras.
5. Mezclar la carne y las verduras.
6. Cocinar la carne y las verduras.

19 ¡Qué lío de preguntas!

▶ **Ordena y responde.** Put the words in order to write a question. Use the correct form of the verb and correct punctuation. Then answer the questions.

1. pan / comprar / tu / el / dónde / familia

   ¿Dónde compra...

2. el / pescado / tus / padres / dónde / comprar

Nombre: .... Fecha: ....

PRONOMBRES DE OBJETO DIRECTO

singular	plural
lo　*him, it*	los　*them*
la　*her, it*	las　*them*

¿La leche? Siempre **la** compro en el supermercado.

20　Hábitos de alimentación

▶ **Relaciona.** Match each question with its appropriate answer.

Ⓐ

1. ¿Bebes refrescos?
2. ¿Comes frijoles?
3. ¿Comes frutas?
4. ¿Compras helado aquí?
5. ¿Dónde compras la fruta?

Ⓑ

a. No, lo compro en el supermercado.
b. La compro en la frutería.
c. Los como, pero no me gustan.
d. No, nunca los bebo.
e. Sí, siempre las como en el desayuno.

21　Un día de compras

▶ **Completa.** Complete the sentences with pronouns.

1. Hoy es el cumpleaños de mi madre. _____ celebramos en casa.

2. En la carnicería compro un pollo. Normalmente _____ preparo con arroz.

3. Necesito unas papas. _____ compro en la frutería.

4. Me gusta el jugo de naranja. _____ preparo muy frío.

5. A mi madre le gusta el café. _____ bebe todos los días.

6. Los frijoles son baratos. _____ compro para la cena.

▶ **Responde.** Answer the questions about your shopping habits.

1. ¿Dónde compras la leche?

    La compro en el supermercado.

2. ¿Dónde compras las frutas?

    _____

3. ¿Dónde compras el pan?

    _____

22 Un restaurante de calidad

▶ **Completa.** Read these parts of a radio report and complete them with the appropriate direct object pronouns.

> **PATRICIA:** ¿Cómo preparas las verduras, César?
>
> **CÉSAR:** _____ preparo en un wok.
>
> **PATRICIA:** ¡Qué buena idea!

> **PATRICIA:** Este chef, Fernando, cocina la carne más rica de Perú.
>
> **FERNANDO:** Sí, _____ cocino con una salsa especial.

> **PATRICIA:** En este restaurante, las frutas son deliciosas.
>
> **JONÁS:** Sí, _____ compramos en una frutería del barrio.

> **PATRICIA:** ¿Cómo preparas las tortas, Sergio?
>
> **SERGIO:** _____ preparo con frutas.
>
> **PATRICIA:** ¿Y a los clientes les gustan las tortas de frutas?
>
> **CÉSAR:** Sí, _____ adoran.

23 Mi propia receta

▶ **Escribe.** Write your favorite recipe. Explain the ingredients it has and the steps you have to follow in order to cook it.

_____

_____

_____

_____

_____

_____

Nombre: ....   Fecha: ....

24 ¿Dónde compras?

▶ **Responde.** Answer the questions.

1. ¿Dónde compras el pescado?

   _____

2. ¿Dónde compra tu madre el pan?

   _____

3. ¿Dónde compran tus hermanos las verduras?

   _____

4. ¿Dónde compran tú y tu hermano la carne?

   _____

5. ¿Dónde compras los refrescos?

   _____

25 Una encuesta

▶ **Escribe.** Write your part in this interview.

ENCUESTADOR: Buenos días. Esta es una encuesta sobre hábitos de compra y comidas. ¿Compra usted la fruta en la frutería o en el supermercado?

Tú: _____

ENCUESTADOR: ¿Y el pescado? ¿Dónde compra normalmente el pescado?

Tú: _____

ENCUESTADOR: ¿Y cómo lo cocina?

Tú: _____

ENCUESTADOR: ¿Mezcla frutas en los jugos? ¿Qué frutas?

Tú: _____

ENCUESTADOR: Y ahora, las comidas. ¿Prepara a veces el seco de carne?

Tú: _____

ENCUESTADOR: Muchas gracias por su colaboración.

26 ¡Hay muchos errores!

▶ **Corrige.** There are six mistakes in agreement in this article. Correct them.

CORREGIR

El nuevo restaurante del barrio

Hay un nuevo restaurante peruano. **La** encuentras cerca de la plaza.
El cocinero prepara comidas creativas. **Los** cocina con ingredientes variados.
Por ejemplo, mezcla pollo y verduras con arroz: ¿quieres probar**la**? Corta
el pollo y **la** cocina con las verduras. Luego **los** sirve con arroz y frijoles
negros. También los postres son diferentes: el cocinero mezcla el helado.
¿Con qué **la** mezcla? Con jugos de frutas. ¡Qué rico!

1. _____   4. _____

2. _____   5. _____

3. _____   6. _____

27 El informe final

▶ **Escribe.** Forty people participated in a survey about where they buy certain
products. Use the information in the table to write a summary of the results.

TIENDAS Y PRODUCTOS	LA PESCADERÍA	LA CARNICERÍA	LA FRUTERÍA	LA PANADERÍA	EL SUPERMERCADO
el pescado	5				35
el pan				37	3
la fruta			24		16
la carne		28			12

Hábitos de compra y comidas

_____

_____

_____

_____

_____

_____

_____

_____

Nombre: ....   **Fecha:** ....

EN LA MESA

la mesa	table				
el mantel	tablecloth				
la servilleta	napkin				

En el restaurante

el mesero/la mesera	server
la carta	menu

Acciones

poner la mesa	to set the table
limpiar la mesa	to clear the table

la cuchara	spoon
el cuchillo	knife
el tenedor	fork

Los condimentos

el azúcar	sugar
la pimienta	pepper
la sal	salt

comer	to eat
beber	to drink

el plato	dish
la taza	cup

el vaso	glass
la botella	bottle

Estados

limpio	clean
sucio	dirty

> Necesito dos **vasos, la pimienta, la sal**... ¿Qué más?

28   **¡A la mesa!**

▶ **Lee y dibuja.** Read the following text about how a table is set and draw each objet in its appropriate place on the table.

Una buena mesa

Una buena mesa tiene el mantel encima. Todos los demás objetos están encima del mantel. En el centro de la mesa está el plato. Debajo del plato está la servilleta. A la derecha del plato está el cuchillo y a la izquierda, el tenedor. El vaso está detrás del plato. La cuchara está a la derecha del cuchillo.

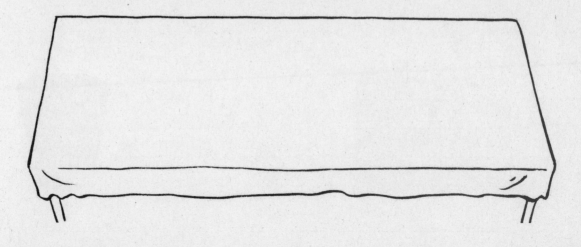

29 ¿Qué falta?

▶ **Lee y escribe.** Read the following speech bubbles and write down the name of the thing or things each person needs.

1. Tengo sed. Quiero un _____ de agua.

2. Hoy voy a comer sopa. Tengo plato, pero necesito una _____.

3. Quiero cortar la naranja, pero no tengo _____.

4. Mi madre quiere carne. La comemos con cuchillo y _____.

5. Me gusta beber el café en una _____.

6. Mesero, por favor, quiero elegir la comida. Necesito la _____.

▶ **Relaciona.** Match each speech bubble with its corresponding photo and write the number of the bubble below the photo.

_____   _____   _____

_____   _____   _____

Nombre: ....   **Fecha:** ....

VERBOS IRREGULARES EN LA PRIMERA PERSONA

	HACER	PONER	TRAER	SALIR
yo	**hago**	**pongo**	**traigo**	**salgo**
tú	haces	pones	traes	sales
él ella usted	hace	pone	trae	sale
nosotros nosotras	hacemos	ponemos	traemos	salimos
vosotros vosotras	hacéis	ponéis	traéis	salís
ellos ellas ustedes	hacen	ponen	traen	salen

Other verbs with irregular first-person forms: conocer (yo **conozco**), saber (yo **sé**), ver (yo **veo**).

> Yo **hago** las tareas en mi casa. Luego, **salgo** a pasear.

30 El restaurante absurdo

▶ **Escribe.** Read the following statements of some employees in the Absurd Restaurant. Write sentences telling how you do these things.

1. Nosotros ponemos los platos debajo de la mesa.

   ....

2. Nosotros hacemos el pescado en el lavaplatos.

   ....

3. Nosotros traemos el café con el plato principal.

   ....

4. Nosotros salimos a las nueve de la mañana del restaurante.

   ....

5. Nosotros vemos la televisión todos los días en el baño.

   ....

31 **Los sábados, ¡picnic!**

▶ **Elige.** Choose the option that best completes each sentence and write it in the blank.

1. Mis amigos y yo _____ una excursión los sábados.

   a. hago   b. hacemos   c. hacen

2. Andrés siempre _____ la comida y yo _____ los refrescos.

   a. traen / traigo   b. trae / traemos   c. trae / traigo

3. Marta _____ una linterna en su mochila.

   a. pone   b. ponemos   c. pongo

4. Nosotros _____ ahora. ¿A qué hora _____ tú?

   a. salgo / salimos   b. sale / salen   c. salimos / sales

5. Yo _____ el mantel y mis padres _____ la comida.

   a. ponemos / pongo   b. ponen / pongo   c. pongo / ponen

32 **Un día típico**

▶ **Escribe.** Fill in the blanks on this postcard with the correct form of the verbs in the box.

ver	salir	conocer	traer	hacer	poner

Hola, Andrés:

   ¿Qué tal estás? Ahora 1. _____ de mi casa. Voy al aeropuerto.

Yo 2. _____ un viaje todos los veranos con mis padres

y este año vamos a Lima. 3. _____ mucha ropa en la mochila

porque allí hace frío. Luego siempre 4. _____ ropa de allí

porque me gustan las prendas de lana.

   ¿Qué 5. _____ tú estas vacaciones?

   ¿6. _____ de los Estados Unidos este verano o estudias

Matemáticas como el verano pasado? Por cierto, yo ya 7. _____

a la nueva profesora. Es muy simpática. ¿La conoces tú?

   Bueno, desde aquí 8. _____ el taxi, me tengo que ir.

Buenas vacaciones,

                                    Marta

Nombre: ....   **Fecha:** ....

¿**Te** preparo una sopa?

PRONOMBRES DE OBJETO INDIRECTO			
singular		plural	
me	to me	nos	to us
te	to you (*informal*)	os	to you (*informal*)
le	to him, to her, to you (*formal*)	les	to them, to you

33 **¿A quién?**

▶ **Escribe.** Circle the indirect object, write the pronoun that would replace it, then rewrite the sentence using the pronoun.

1. Yo canto canciones (a mis abuelos.)

   Yo les canto canciones.

2. Escribo una carta a mi hermano.

   _____

3. Mi hermano y yo compramos flores a mi mamá.

   _____

4. Yo traigo siempre la comida a mi abuelo.

   _____

5. Mi papá prepara una ensalada para mí.

   _____

6. Mamá y yo leemos libros a mis hermanos.

   _____

7. La tía cocina platos típicos de Perú para nosotros.

   _____

8. Susana hace regalos a sus amigos.

   _____

34 **Ofrecimientos**

▶ **Lee y escribe.** Read the sentences and write what you can do to help these people. Use the appropriate indirect objet pronouns.

1. María y Jaime quieren pasear, pero su casa es un caos.

   Yo les limpio la casa.

2. Tu abuelo quiere leer un libro, pero está cansado y no ve bien.

   _____

3. Tu hermana María está en Europa. Quieres tener noticias de ella.

   _____

4. Tú tienes hambre. Hay pan en casa.

   _____

5. Nosotros estamos enfermos. Necesitamos beber un jugo.

   _____

6. Es el cumpleaños de tu mejor amiga. A ella le gusta Ricardo Arjona.

   _____

35 **Buenas acciones**

▶ **Elige y escribe.** Circle the appropriate pronoun in order to substitute the highlighted part of the sentence and rewrite it below.

1. Compro flores **a mi mamá**.

   a. le   b. la   c. les

   _____

2. Escribimos correos electrónicos **a mis amigos**.

   a. los   b. les   c. lo

   _____

3. Haces un regalo **a mi tía Isabel**.

   a. les   b. lo   c. le

   _____

4. Preparan unos **sándwiches** a sus hermanos pequeños.

   a. les   b. los   c. la

   _____

Nombre: _____   **Fecha:** _____

36   Caos en el restaurante

▶ **Lee y relaciona.** Read the speech bubbles from very busy waiters and write the table number below the appropriate picture.

> ¡Rápido! Juan y yo necesitamos dos tenedores y dos vasos para la mesa dos.

> Tengo que poner la mesa siete: no tiene mantel, no hay servilletas y no hay platos.

> En la mesa cinco no hay platos, no hay servilletas y no hay cucharas. Además, hay que limpiar la mesa.

> En la mesa tres los clientes no tienen sal, no hay cuchillos y no hay tenedores. Pero sí hay cucharas y vasos.

Mesa: _____   Mesa: _____

Mesa: _____   Mesa: _____

▶ **Escribe.** Write the things you can do to help the waiters.

Mesa dos: Les traigo los tenedores y los vasos. _____

_____

_____

_____

37 **Preparar una gran cena**

▶ **Escribe.** You want to prepare a big dinner for your friends. Write what you have to do in order to make a successful dinner.

1. La mesa está sucia (limpiar).

   La limpio.

2. No hay mantel (poner).

   _____

3. Los vasos están en la cocina (traer).

   _____

4. Los platos están sucios (lavar).

   _____

5. No tienes carne. No hay verduras (comprar).

   _____

38 **Diferentes comidas**

▶ **Lee y escribe.** Read the following events you have this month and write what you need to set on the table in each case.

Picnic con el grupo de danza. ¡Somos ocho! Menú: sándwiches refrescos fruta — Día 9	un mantel _____ _____ _____ _____
Comida familiar. ¡Somos cuatro! Menú: ensalada — Día 17 carne con papas fruta, helado y agua	_____ _____ _____ _____
Cena romántica. Somos dos. Menú: sopa — Día 25 pescado con arroz torta y café	_____ _____ _____ _____

Nombre: ....   **Fecha:** ....

DESCRIBIR Y VALORAR LA COMIDA

Los sabores

agrio(a)	*sour*
amargo(a)	*bitter*
dulce	*sweet*
picante	*hot (spicy)*
salado(a)	*salty*

La temperatura

caliente	*hot*
frío(a)	*cold*

¿Te gusta?

Está malo.	*It's bad.*
Está bueno.	*It's good.*
Está delicioso.	*It's delicious.*

La fruta **está** deliciosa.

39 Clasificaciones

▶ **Elige.** Check the box(es) that reflect how each food usually tastes.

	AMARGO	AGRIO	DULCE	PICANTE	SALADO
papas					
ensalada					
helado					
sopa					
chiles					
carne					
pescado					
frijoles					
manzanas					
torta					
café					
limón					

▶ **Clasifica.** Now classify the previous foods and drinks, taking into account the temperature at which they are usually served.

frío ....

....

caliente ....

....

40 **Alimentos variados**

▶ **Escribe.** Write the name of the food that does not belong and explain why.

1. tarta – helado – pimienta – manzana: _La pimienta. No es dulce._

2. refresco – agua – leche – carne: _____

3. banana – manzana – pescado – naranja: _____

4. fruta – helado – torta – pescado: _____

5. pollo – pescado – carne – refresco: _____

41 **Preferencias diferentes**

▶ **Lee y escribe.** Read the text, then write as many sentences as you can according to it, using the items below.

Nuestras comidas favoritas

A mis amigos y a mí nos gustan comidas diferentes. Juan siempre come tartas, helados y jugos de frutas. Nunca toma sal o pimienta. Marta prefiere las papas, las carnes y los pescados. Pone sal y pimienta a todo. Nunca come tartas o helados. Luisa normalmente bebe café; nunca bebe refrescos o jugos de frutas. Andrés siempre come ensaladas y verduras, pero nunca usa limón. Todos somos diferentes.

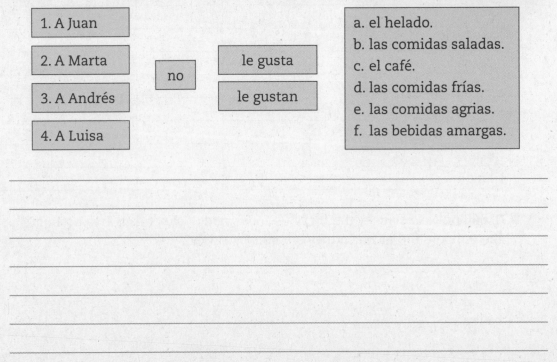

1. A Juan			a. el helado.
2. A Marta	no	le gusta	b. las comidas saladas.
		le gustan	c. el café.
3. A Andrés			d. las comidas frías.
			e. las comidas agrias.
4. A Luisa			f. las bebidas amargas.

_____

_____

_____

_____

_____

Nombre: _____   **Fecha:** _____

VERBOS CON RAÍZ IRREGULAR: E > I

PEDIR

yo	pido	nosotros nosotras	pedimos
tú	pides	vosotros vosotras	pedís
usted él ella	pide	ustedes ellos ellas	piden

Other verbs like **pedir**: competir, medir, repetir, servir.

Yo **pido** un helado. Y tú, ¿qué **pides**?

42 **Conversaciones en la mesa**

▶ **Lee y completa.** Read the following conversations in a restaurant and complete them with the appropriate form of the verbs in the box.

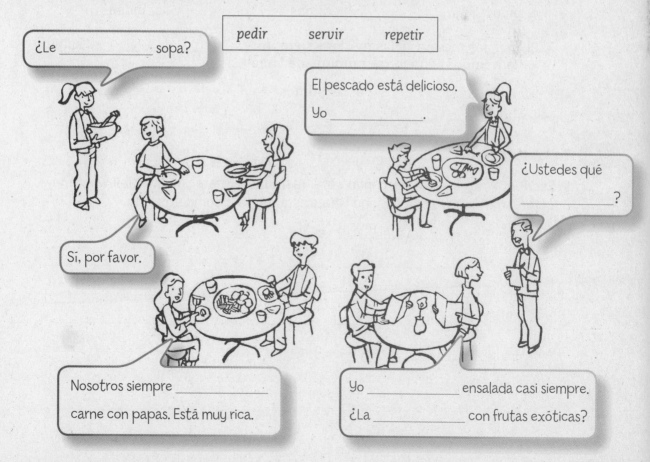

¿Le _____ sopa?

| pedir | servir | repetir |

El pescado está delicioso.

Yo _____.

¿Ustedes qué _____?

Sí, por favor.

Nosotros siempre _____ carne con papas. Está muy rica.

Yo _____ ensalada casi siempre.

¿La _____ con frutas exóticas?

43 El restaurante Inca

▶ **Completa.** Complete each sentence with the correct form of the verb.

1. El restaurante Inca _____ con los restaurantes tradicionales de toda la ciudad.

   a. compito   b. competimos   c. compite

2. Los meseros y las meseras del restaurante _____ una ensalada especial a los clientes.

   a. sirve   b. servimos   c. sirven

3. El chef no _____ la cantidad de comida en cada plato.

   a. mide   b. medimos   c. miden

4. El restaurante _____ platos originales todos los días.

   a. sirvo   b. servimos   c. sirve

5. Los clientes normalmente _____ ensalada.

   a. pido   b. pedimos   c. piden

6. Nosotros _____ seco de carne y ceviche todos los días.

   a. pido   b. pedimos   c. piden

7. El chef, los meseros y las meseras siempre _____ su saludo: «¡Bienvenidos al mejor restaurante de Lima!».

   a. repito   b. repetimos   c. repiten

44 Tu restaurante

▶ **Escribe.** Write a short description of a restaurant where you live. Tell what they serve, what people ask for, and what restaurants it competes with.

_____

_____

_____

_____

_____

_____

_____

_____

Nombre: ....   **Fecha:** ....

45 Comemos en un restaurante

▶ **Lee y elige.** Read the text and mark if the following sentences are true (*C*) or false (*F*).

> **El restaurante Maravillas**
>
> En el restaurante Maravillas hay muchos alimentos variados. Yo siempre pido cosas saladas, como papas con carne y pollo con verduras. Mi amiga Rosina prefiere frijoles picantes y ensaladas con mucha pimienta. Raúl y Juana no pueden tomar sal: casi siempre piden pescado con naranjas. Es un plato exótico y bastante bueno. A mí no me gusta, pero en el restaurante Maravillas lo sirven muy caliente y está rico. Mi hermana Pili siempre pide torta y helado con leche: le gustan mucho los alimentos dulces.

1. En el restaurante Maravillas todos los platos son iguales.   C   F
2. Antonio nunca pide alimentos salados.   C   F
3. A Rosina le gustan mucho los alimentos picantes.   C   F
4. A Raúl y a Juana les gusta bastante la sal.   C   F
5. En el restaurante Maravillas sirven frío el pescado con naranjas.   C   F

▶ **Corrige.** Correct the false sentences.

1. En el restaurante Maravillas hay platos diferentes.
_____
_____
_____
_____

▶ **Dibuja y escribe.** Create a new recipe for Maravillas restaurant. Draw the dish and describe it.

▶ **Lee y elige.** Read what a boy says about his family's food and drink preferences and write each family member's name below the appropriate food or drink.

Hola, me llamo Antonio. Mi familia y yo comemos juntos casi siempre. A mi hermana María no le gustan nada las comidas frías. A mi abuela Susana sí. Le gustan mucho las frutas dulces. Jonás y Emilio, mis hermanos pequeños, siempre quieren bebidas frías. Pero a Jonás no le gustan los jugos. Yo siempre pido los postres muy dulces. Y mis padres, Mar y Luis, siempre piden bebida amarga con el postre. ¿Qué nos gusta?

▶ **Escribe.** Write about your family's food and drink preferences.

_____

_____

_____

_____

_____

Nombre: ....   **Fecha:** ....

47 **Una receta única**

▶ **Lee y elige.** Read the text about Marta's parents' anniversary and choose the appropriate dishes for the menu.

> **El aniversario de mis padres**
>
> Celebramos el aniversario de mis padres, pero hay muchos problemas. Mi tía no puede tomar alimentos salados. Mi hermana no come carne y a ella no le gustan nada los alimentos picantes. Y yo no puedo tomar huevos: soy alérgica.
>
> A mi padre no le gusta nada el pollo, pero le gusta mucho la carne y las comidas frías, como el helado. A mi hermana y a mí nos gusta mucho la torta, pero a mi madre no le gustan los alimentos muy dulces y a mi padre le gustan poco. Y mi hermana prefiere las comidas calientes. ¡Es muy difícil preparar este menú!

Primer plato:

☐ sopa   ☐ frijoles con huevos   ☐ verduras con salsa picante

Segundo plato:

☐ pollo con arroz   ☐ carne con papas   ☐ pescado con maíz

Postre:

☐ torta de chocolate ☐ fruta variada   ☐ helado con leche caliente

▶ **Ordena.** Put in order the foods from the one Marta's father likes most to the one he absolutely doesn't like.

| helado | torta | pollo | carne |

1. _____   2. _____   3. _____   4. _____

▶ **Elige.** Mark if the sentences are true (*C*) or false (*F*) according to the text.

1. Marta no puede comer huevos.   C   F

2. Al padre de Marta no le gusta nada el pollo.   C   F

3. La hermana de Marta puede comer verduras.   C   F

4. A la madre de Marta no le gustan las tortas.   C   F

5. La hermana de Marta es alérgica a las comidas calientes.   C   F

6. A Marta le gusta mucho la torta.   C   F

48 **Lista de ingredientes**

▶ **Escribe.** Write the list of ingredients you need to make a milkshake. Substitute each picture with an appropriate word.

¿Qué necesito?

Un ⬜ de 🍾 .

Dos 🍌 .

Un kilo de ☕ .

Dos 🥄 de 🍦 .

🧂 y 🧂 .

¿Qué necesito?
_____
_____
_____
_____
_____

49 **¿Cómo lo hago?**

▶ **Completa.** Complete the following dialogue with conjugated forms of the verbs in the box.

poner   repetir   preparar   cocinar   hacer
probar   cortar   preferir   mezclar

ANDREA: ¿Cómo _____ una ensalada de papas con maíz, Sebas?

SEBAS: Primero, _____ las papas en agua caliente.

ANDREA: ¿Y también pones el maíz?

SEBAS: No, el maíz lo _____ en el horno. Lo _____

media hora.

ANDREA: ¿_____ las papas?

SEBAS: Sí, las _____ con un cuchillo y las _____

con el maíz. Luego, las _____. Es un consejo de mi padre:

él siempre _____ la comida. Esta ensalada está muy salada.

¿Prefieres una ensalada más dulce?

ANDREA: Sí, la _____. A mí no me gustan nada las cosas saladas.

SEBAS: Entonces _____ una salsa con aceite, vinagre y azúcar.

Así es más dulce. Yo les _____ esta ensalada a mis padres

todos los días. Es muy saludable. ¡Siempre _____!

170   Español Santillana. Practice Workbook. Unidad 4

Nombre: _____   **Fecha:** _____

50 **Comparaciones**

▶ **Describe.** Write the name of each dish and some of its main ingredients.

| ceviche | sancochado | seco de carne | suspiro limeño |

1. Plato: _____   3. Plato: _____

   Ingredientes: _____   Ingredientes: _____

   _____   _____

   _____   _____

   _____   _____

2. Plato: _____   4. Plato: _____

   Ingredientes: _____   Ingredientes: _____

   _____   _____

   _____   _____

   _____   _____

51 La comida en Perú

▶ Lee y responde.

> **Aportaciones a la gastronomía del Perú**
>
> La cocina peruana es muy rica y variada. En ella están presentes la cultura inca, la española, la africana, la china, la japonesa… ¡Hay ingredientes y platos de cuatro continentes!
>
> Los productos básicos, como la papa, el maíz y los pescados, son del imperio inca. La cultura criolla mezcla ingredientes y recetas españolas con alimentos típicos de América. Un plato criollo típico es el famoso *sancochado*. La influencia africana se aprecia en platos como el *tacu-tacu*: una mezcla de arroz y frijoles con carne. De la cultura china son platos como el *arroz chaufa* (arroz con pollo y carne de cerdo) y el *lomo saltado*: carne, cebolla y tomate con salsa de soja.

1. ¿Qué ingredientes aporta el imperio inca a la comida peruana?

_____

2. ¿Cuál es el plato típico de la cultura criolla?

_____

3. ¿Qué ingredientes tiene el *tacu-tacu*?

_____

4. ¿De dónde son el *lomo saltado* y el *arroz chaufa*?

_____

52 ¿Es así Perú?

▶ **Lee y escribe.** Read the statements and say if you agree with them or not. Correct the ones you don't agree with.

1. En Perú hay muchas ruinas de antiguas ciudades incas.

_____

2. Perú no tiene una gran riqueza natural.

_____

3. Cuzco es la capital de Perú.

_____

Nombre: ....   **Fecha:** ....

Climb up the Andes in order to reach Machu Picchu. You earn two meters for each correct answer. Subtract one for mistakes in spelling or agreement.

DESAFÍO 1

La primera comida del día es el

_____ .

1

Tres frutas:

__ a __ a __ a,

m __ n __ a __ a,

__ a __ a __ j __ .

2

A Martín no le gustan

_____

los helados.

3

Hoy, María (querer)

_____

carne, yo (preferir)

_____

pescado.

4

DESAFÍO 2

Compro el pan aquí.

_____

5

—¿Podemos comer?
—No. Primero tengo

que _____

la ensalada.

6

—¿Compras
tú las frutas?
—Sí, yo

_____ compro.

7

Yo mezclo la ensalada.

→ Yo _____ mezclo.

Tú cocinas el paiche.

→ Tú _____ cocinas.

8

DESAFÍO 3

Lo ponemos encima de la mesa y debajo de los platos.

_____ . 9

La sopa la comes con una

_____ .

10

—Las sillas no están aquí.
—Yo las

_____ .

11

—¿_____ traigo

un postre?
—Sí, por favor.
Queremos helado.

12

DESAFÍO 4

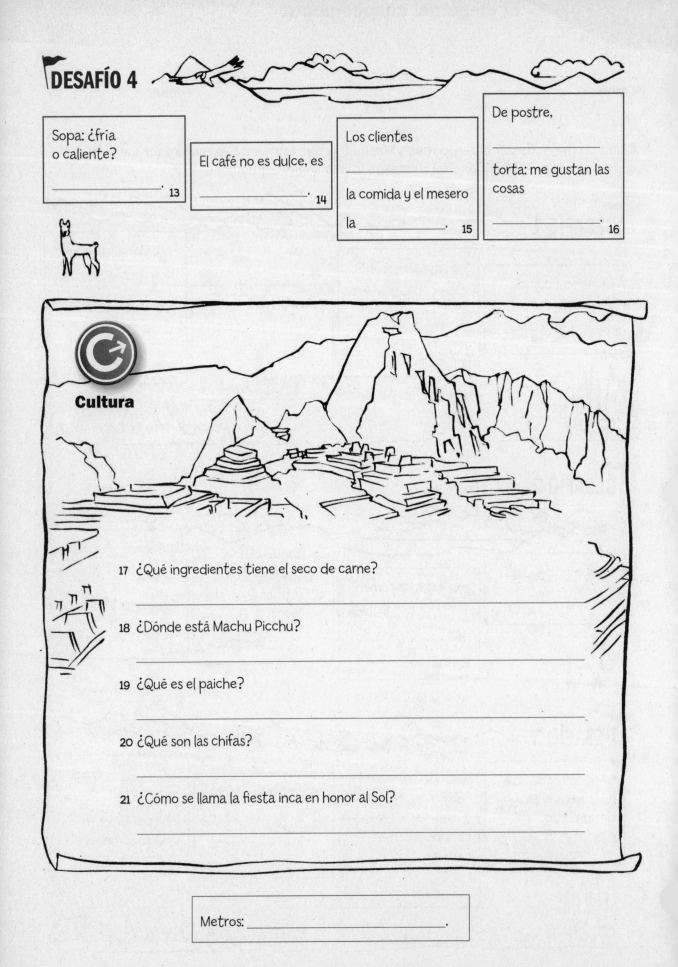

Sopa: ¿fría o caliente?

_____. 13

El café no es dulce, es

_____. 14

Los clientes

_____

la comida y el mesero

la _____. 15

De postre,

_____

torta: me gustan las cosas

_____. 16

Cultura

17 ¿Qué ingredientes tiene el seco de carne?

_____

18 ¿Dónde está Machu Picchu?

_____

19 ¿Qué es el paiche?

_____

20 ¿Qué son las chifas?

_____

21 ¿Cómo se llama la fiesta inca en honor al Sol?

_____

_____

Metros: _____.

Nombre: .... Fecha: ....

AL OTRO LADO DEL ATLÁNTICO

1 **En un hospital**

▶ **Lee y relaciona.** Read each caption and write the letter of the photo that is being described.

1. La enfermera atiende a un paciente. _____

2. Me duele la cabeza. _____

3. La doctora Galdón se maquilla. _____

4. Soy médico y trabajo en este hospital. _____

A

C
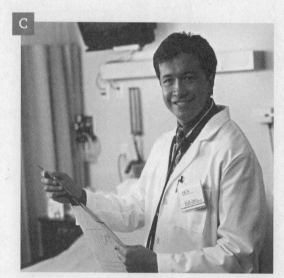

B

D
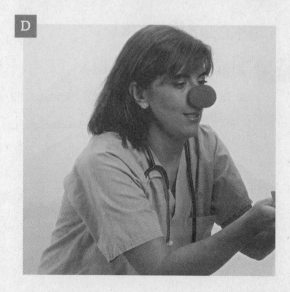

2 Conversaciones mezcladas

▶ **Lee y completa.** Look at the pictures and complete the conversations with the words below.

| Me maquillo ✓ | la pierna | te duele | enfermera | siento |

1 Me maquillo para entretener a mis pacientes.

3 ¿Qué _____ hija?

No me _____ bien, mamá.

2 Trabajo en un hospital. Soy _____.

4 ¡Me duele mucho _____!

EXPRESIONES ÚTILES

3 Algunas expresiones

▶ **Relaciona.** Match each expression with its meaning.

Ⓐ

1. ¿Qué te pasa?
2. ¿Cómo te sientes?
3. Me siento bien.
4. Me siento mal. Estoy enfermo(a).
5. Me duele la cabeza.
6. Me duelen los pies.

Ⓑ

a. My feet hurt.
b. I don't feel well. I'm sick.
c. My head hurts.
d. I'm fine.
e. What's the matter with you?
f. How do you feel?

Nombre: ....   **Fecha:** ....

PARTES DEL CUERPO

el brazo	*arm*
el cuerpo	*body*
la cabeza	*head*
el cuello	*neck*
el dedo	*finger, toe*
los dientes	*teeth*
la espalda	*back*
el estómago	*stomach*
la garganta	*throat*
la mano	*hand*
las muelas	*teeth*
los oídos	*ears*
el pie	*foot*
la pierna	*leg*

La cabeza

la boca	*mouth*
la cara	*face*
la nariz	*nose*
los ojos	*eyes*
las orejas	*ears*
el pelo	*hair*

Acciones

oír	*to hear*
oler	*to smell*
saborear	*to taste*
tocar	*to touch*
ver	*to see*

Mi hermana y yo tenemos los **ojos negros.**

4   **Gente escondida**

▶ **Completa y relaciona.** Complete the words in the box, then match each picture with its label.

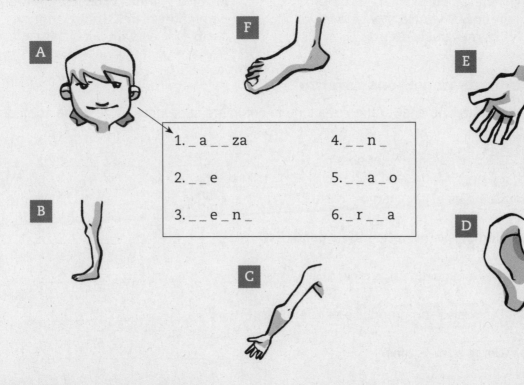

1. _ a _ _ za   4. _ _ n _

2. _ _ e   5. _ _ a _ o

3. _ _ e _ n _   6. _ r _ _ a

5 ¡Eres un artista!

▶ **Lee y dibuja.** Read the descriptions and draw the portraits.

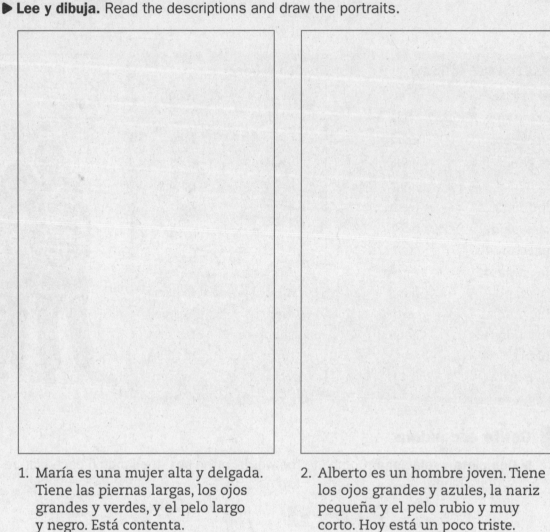

1. María es una mujer alta y delgada. Tiene las piernas largas, los ojos grandes y verdes, y el pelo largo y negro. Está contenta.

2. Alberto es un hombre joven. Tiene los ojos grandes y azules, la nariz pequeña y el pelo rubio y muy corto. Hoy está un poco triste.

6 Retrato de tu persona favorita

▶ **Lee y contesta.** Answer the questions in complete sentences to describe someone you know.

1. ¿De qué color tiene el pelo? _____

2. ¿Cómo es el pelo, largo o corto? _____

3. ¿Cómo es la nariz, grande o pequeña? _____

4. ¿Tiene el cuello largo o corto? _____

5. ¿Las orejas son grandes o pequeñas? _____

6. ¿Cómo son los ojos? _____

Nombre: _____ **Fecha:** _____

LOS VERBOS VER, OÍR, OLER Y DECIR. PRESENTE

VER

yo	veo	nosotros nosotras	vemos
tú	ves	vosotros vosotras	veis
usted él ella	ve	ustedes ellos ellas	ven

OÍR

yo	oigo	nosotros nosotras	oímos
tú	oyes	vosotros vosotras	oís
usted él ella	oye	ustedes ellos ellas	oyen

OLER

yo	huelo	nosotros nosotras	olemos
tú	hueles	vosotros vosotras	oléis
usted él ella	huele	ustedes ellos ellas	huelen

DECIR

yo	digo	nosotros nosotras	decimos
tú	dices	vosotros vosotras	decís
usted él ella	dice	ustedes ellos ellas	dicen

7 ¡No puede ser!

▶ **Lee y elige.** Mark true (*C*) or false (*F*) in each sentence. If the sentence is false, then rewrite it to make it true.

1. Veo la música con los oídos.   C (F)

   Oigo la música con los oídos.

2. Huele las respuestas con la boca.   C   F

   _____

3. Decimos el perfume con la nariz.   C   F

   _____

4. Oyen la película con los ojos.   C   F

   _____

5. Hueles la comida con la nariz.   C   F

   _____

8 **Conversaciones con sentidos**

▶ **Lee y completa.** Complete each conversation with the correct form of the verb in parentheses.

1. **ANA:** Hola, Luis. ¿Te gusta mi nuevo perfume?

   LUIS: No sé. No (oler) _____ nada.

   ANA: ¿Tú no lo (oler) _____ en mis manos?

2. **ROSA:** Miguel, ¿puedes ayudarme?

   MIGUEL: ¿Qué (decir) _____? ¡No te _____ (oír)!

3. **PEDRO:** Isabel, ¿dónde estás? Yo no te (ver) _____.

   ISABEL: Estoy aquí, Pedro. ¿No me (ver) _____?

   PEDRO: Isabel, te (oír) _____, pero no te (ver) _____.

9 **Un anuncio**

▶ **Lee y corrige.** Correct the incorrect verb forms in this TV ad.

En verano, hace calor y, a veces, los cuerpos no **olen** bien. Siempre **oemos** esta pregunta: ¿cómo puedo oler bien?

¿**Vees** esta rosa? Puedes **hueler** bien como esta rosa. ¿Cómo? Yo te **dico** el secreto: ¡COMPRA ROSA AZUL!

1. _____

2. _____

3. _____

4. _____

5. _____

Nombre: _____   Fecha: _____

10 Un grupo de alienígenas

▶ **Escribe.** The cartoonist for a new animated movie is ill and she needs you to finish her drawings. Read the description of each character and draw it in the space provided.

1. *Marty* tiene la cabeza y cuatro ojos muy grandes, pero el cuerpo es pequeño. Tiene ocho dedos en sus tres manos y ocho dedos en sus dos pies.

3. *Felipe* no tiene cuerpo. Es una mano con dos pies.

2. *Verónica* tiene el cuerpo pequeño y la cabeza grande. Tiene la boca pequeña, un ojo muy grande y dos narices. No tiene piernas ni pies, pero tiene cuatro brazos.

4. *Jackson* es humano y muy guapo. Descríbelo y dibújalo.

_____

_____

_____

_____

11 Reportero en las fiestas

▶ **Observa y escribe.** You are reporting on a local festival. Write what the people in the photo see, hear, smell, and say. Write at least three sentences. Use these verbs: *ver*, *oler*, *oír*, and *decir*.

La gente dice que las flores

son muy bonitas.

_____

_____

_____

_____

_____

_____

12 Una encuesta

▶ **Lee y escribe.** Summarize the results shown in the graph. Write complete sentences to describe what the average student is like at this school and at yours.

Color de pelo

Rubios

Morenos

Pelirrojos

Color de ojos

Marrones

Azules

Verdes

Manos

Grandes

Pequeñas

Pies

Grandes

Pequeños

El estudiante medio

El estudiante medio tiene el pelo...

_____

_____

_____

_____

_____

En mi clase

En mi clase, el estudiante medio tiene

el pelo...

_____

_____

_____

_____

_____

_____

Nombre: ....   **Fecha:** ....

LA HIGIENE PERSONAL		Rutinas	
el cepillo	*hairbrush*	acostarse	*to go to bed*
el cepillo de dientes	*toothbrush*	afeitarse	*to shave*
el champú	*shampoo*	bañarse	*to take a bath*
la crema de afeitar	*shaving cream*	cepillarse	*to brush (one's hair, teeth)*
el desodorante	*deodorant*	ducharse	*to take a shower*
el gel	*gel*	lavarse	*to get washed, wash (up)*
el jabón	*soap*	levantarse	*to get up*
la pasta de dientes	*toothpaste*	maquillarse	*to make (oneself) up*
el peine	*comb*	peinarse	*to comb (one's hair)*
la toalla	*towel*	vestirse	*to get dressed*

13   **¿Tienes todo?**

▶ **Relaciona.** Match each photo with the items on the list.

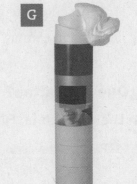

A

D

F

B

G

C

E

H

1. el cepillo   __B__
2. el cepillo de dientes   ____
3. la pasta de dientes   ____
4. el peine   ____
5. la crema de afeitar   ____
6 el jabón   ____
7. el desodorante   ____
8. la toalla   ____

14 **En oferta**

▶ **Compara y elige.** Read the ad and decide if the sentences are true (*C*) or false (*F*).

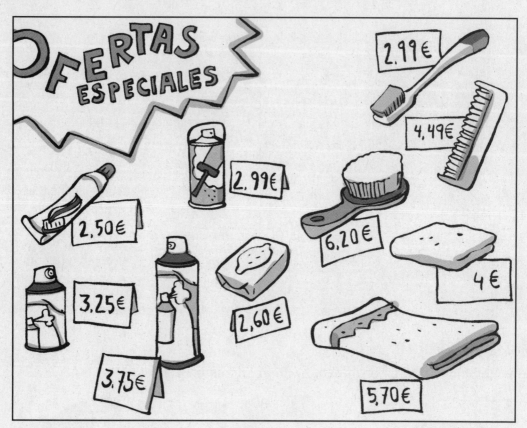

1. El peine es más caro que el cepillo de dientes.   C   F

2. La pasta de dientes es más barata que la crema de afeitar.   C   F

3. Las toallas de manos son más baratas que las toallas de baño.   C   F

4. El desodorante grande es más caro que el desodorante pequeño. C   F

5. El jabón es más barato que el cepillo de pelo.   C   F

15 **¿Qué necesitas?**

▶ **Lee y completa.** Fill in the blanks with the appropriate personal hygiene activity.

1. Para _____ necesitas un cepillo o un peine.

2. Para _____ la cara y las manos, es necesario usar jabón.

3. Para _____ necesitas crema de afeitar.

4. Para _____ necesitas ropa.

5. Para _____ es necesario tener pasta de dientes.

Nombre: ....   **Fecha:** ....

LOS VERBOS REFLEXIVOS

LAVARSE

yo	me	lavo	nosotros nosotras	nos	lavamos
tú	te	lavas	vosotros vosotras	os	laváis
usted él ella	se	lava	ustedes ellos ellas	se	lavan

Otros verbos reflexivos

acostarse (ue) → Ellos **se acuestan** a las doce.

despertarse (ie) → Yo **me despierto** a las siete.

dormirse (ue) → Tú **te duermes** pronto.

vestirse (i) → Yo **me visto** en mi dormitorio.

No me gusta **levantarme** temprano.

16 Tus hábitos

▶ **Lee y contesta.** Answer each question about yourself.

1. ¿A qué hora te despiertas los sábados?

    _____

2. ¿Te duchas todos los días?

    _____

3. ¿Te afeitas?

    _____

4. ¿Te lavas el pelo con jabón o con champú?

    _____

5. ¿Te peinas con un peine o con un cepillo?

    _____

17 **Por la mañana**

▶ **Escribe.** Write sentences about Pablo's daily routine using the images and the verbs below.

1 6:30 a. m.

despertarse

A las seis y media
se despierta.

3 7:00 a. m.

afeitarse

_____
_____

5 7:30 a. m.

vestirse

_____
_____

2 6:45 a. m.

ducharse

_____
_____

4 7:15 a. m.

cepillarse los dientes

_____
_____

6 7:45 a. m.

peinarse

_____
_____

18 **Tu rutina**

▶ **Escribe.** Write about your hygiene habits and indicate how often you do each one.

Todos los días me cepillo los dientes después de desayunar.

_____
_____
_____
_____
_____

Nombre: ....   **Fecha:** ....

19 **Preparando un viaje**

▶ **Clasifica y escribe.** Liquids, creams, and dangerous objects cannot travel in your carry-on bag. Which of these things must go in checked luggage? Write the notice.

¡Atención!

Los pasajeros no pueden llevar a bordo...

_____

_____

_____

_____

Sí pueden llevar a bordo...

_____

_____

_____

_____

_____

20 **Una agenda complicada**

▶ **Lee y escribe.** Write a paragraph to summarize Maxine's schedule at summer camp.

Todos los días Maxine se levanta a las...

7:15 a. m. levantarse

7:30 a. m. ducharse

7:45 a. m. vestirse

8:15 a. m. desayunar

8:00 p. m. cenar

8:45 p. m. cepillarse los dientes

9:00 p. m. acostarse

21 Los problemas del cámping

▶ **Lee y escribe.** There are problems at summer camp. Ask the director five questions about how you and the others are going to carry out your daily routines. Use the verbs in the boxes.

| ducharse | acostarse | levantarse ✓ | peinarse | lavarse las manos |

1. ¿A qué hora _nos levantamos_ _____?

   Pronto. La excursión a la playa es a las seis de la mañana.

2. ¿_____ con agua fría?

   Sí. No hay agua caliente en los baños.

3. ¿A qué hora _____?

   Hay que apagar la luz de los dormitorios a las diez de la noche.

4. ¿Dónde _____antes de la comida?

   Allí. El cuarto de baño del comedor está cerrado.

5. ¿Cuándo _____?

   Ahora. No pueden llevar objetos como peines o cepillos a la excursión.

22 Quejas y más quejas

▶ **Escribe.** Write to the camp director to complain. Say four things you usually do and what you are doing now because of the problems at summer camp.

Estimado director:

Normalmente me levanto a las _____, pero aquí _____

_____

_____

_____

_____

_____

_____

Atentamente,

Nombre: ....　　**Fecha:** ....

SÍNTOMAS Y ENFERMEDADES

el dolor	*pain, ache*	**¿Qué te pasa?**	
la fiebre	*fever*	Me duele(n)...	*I have a ... ache.*
la gripe	*flu*	Tengo dolor de...	*I have a ... ache.*
el resfriado	*cold*		
la tos	*cough*	**¿Cómo te sientes?**	
		Me siento bien.	*I feel fine.*
el enfermero, la enfermera	*nurse*	Me siento mal.	*I don't feel well.*
el enfermo, la enferma	*patient*	Estoy enfermo(a).	*I am sick.*
el médico, la médica	*doctor*	Me siento débil.	*I feel weak.*
la farmacia	*pharmacy*		
el hospital	*hospital*		

23　¿Qué le pasa?

▶ **Relaciona.** Match each photo with a description.

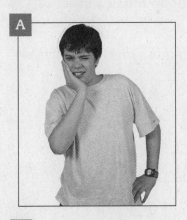

A

1. Tiene fiebre. ____

2. Tiene tos. ____

3. Tiene dolor de espalda. ____

4. Tiene un resfriado. ____

5. Le duelen las muelas. ____

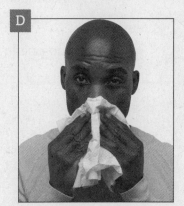

D

B

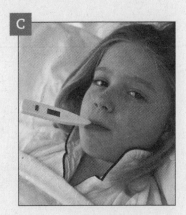

C

E

24 La enfermera pregunta

▶ **Lee y elige.** Answer the school nurse's questions about yourself.

1. Normalmente, ¿cómo te sientes?
   a. Me siento bien.
   b. Estoy enfermo.
   c. Me siento débil.

2. ¿Cómo te sientes hoy?
   a. Me siento mal.
   b. Me siento bien.
   c. Tengo fiebre.

3. ¿Con qué frecuencia vas al médico?
   a. Nunca.
   b. Una vez al año.
   c. Casi nunca.

4. ¿Adónde vas si tienes un resfriado?
   a. Al médico.
   b. A la farmacia.
   c. Al hospital.

25 Crucigrama

▶ **Completa.** Read the clues and complete the crossword puzzle.

HORIZONTAL

1. Las enfermeras trabajan en un _____.

2. Tengo la boca mal. Me duele una _____.

3. Mi hermana tiene fiebre. Creo que tiene _____.

4. Yo casi no puedo hablar. Tengo _____ de garganta.

VERTICAL

5. —¿Qué te pasa? ¿Te duele la garganta? —No, tengo un poco de _____.

6. Cuando me duele la garganta voy al _____.

7. Voy a comprar medicamentos a la _____.

8. Cuando camino mucho me duelen los _____.

Nombre: ....   **Fecha:** ....

EL VERBO DOLER

	singular	plural
A mí	**me** duele	**me** duelen
A ti	**te** duele	**te** duelen
A usted A él A ella	**le** duele	**le** duelen
A nosotros A nosotras	**nos** duele	**nos** duelen
A vosotros A vosotras	**os** duele	**os** duelen
A ustedes A ellos A ellas	**les** duele	**les** duelen

Me **duelen** mucho **los pies.**

26 **¿Qué les duele?**

▶ **Lee y completa.** After a long hike, the campers are in pain. Look at the picture and complete the sentences.

1. A Ana _____ las muelas.

2. A Mario y a Pedro _____ los pies.

3. A Tomás _____ la cabeza.

4. A Jorge y a Teresa _____ la espalda.

27 **¿A ti también te duele?**

▶ **Completa y pregunta.** You are feeling really bad. Refer to the pictures and write five sentences to describe your problems. Write a question to ask your friend if he or she has the same problem.

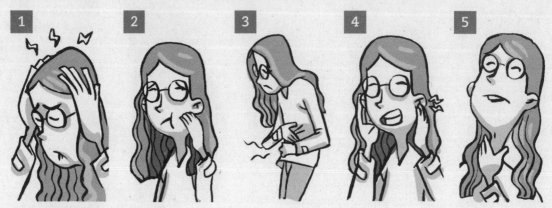

1. A mí me duele la..._____ ¿A ti también te duele la cabeza?_____

2. _____

3. _____

4. _____

5. _____

6. _____

28 **Un SMS**

▶ **Lee y escribe.** You received a text message about the health of your friend. Rewrite the message in complete sentences.

Isabel enferma
dolor garganta,
dedos, piernas
y cabeza.
Vamos hospital.

XXX Teresa

_____

_____

_____

_____

_____

_____

Nombre: ....   **Fecha:** ....

EL VERBO SENTIRSE

yo	me siento	nosotros nosotras	nos sentimos
tú	te sientes	vosotros vosotras	os sentís
usted él ella	se siente	ustedes ellos ellas	se sienten

The verb **encontrarse** *expresses the same meaning as the verb* sentirse.

Hoy **me siento** bien.   Hoy **me encuentro** bien.

Ana **se siente** enferma hoy.   Ana **se encuentra** enferma hoy.

Sentences with si

| Si + *condition* ... |

Si me siento enfermo, voy al médico.

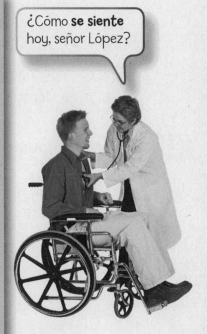

¿Cómo **se siente** hoy, señor López?

29 En otras palabras

▶ **Escribe.** Check your understanding of what your friend is saying. Ask questions with the verb *sentirse* or *encontrarse*.

1. Sí. Mamá y yo nos encontramos bien.

   ¿Se sienten bien? _____

2. Ana se encuentra enferma.

   _____

3. Mis hermanos se encuentran cansados.

   _____

4. Mi abuelo se encuentra débil.

   _____

5. Mis tíos se encuentran bien.

   _____

6. Yo me encuentro fuerte.

   _____

30 Buenos consejos

▶ **Lee y relaciona.** Match the sentence halves to give good advice in each situation.

Ⓐ

1. Si necesitas medicamentos,
2. Si te sientes muy enfermo,
3. Si les duelen las muelas,
4. Si te sientes débil,
5. Si te encuentras cansado,

Ⓑ

a. tienes que descansar.
b. tienes que ir al médico.
c. tienes que ir a la farmacia.
d. tienes que comer bien.
e. tienen que ir al dentista.

31 El hermano pequeño

▶ **Lee y completa.** Your little brother is faking sick so he doesn't have to go to school today. Tell him what he cannot do if he has each of the health problems he pretends to have.

comer helado
jugar al baloncesto
jugar en el jardín ✓
escuchar música
ver la televisión

1. dolor de garganta

   Si te duele _____, no puedes _____

2. dolor de ojos

   Si _____, no puedes _____

3. dolor de espalda

   Si _____, no puedes _____

4. dolor de oídos

   Si _____, no puedes _____

5. dolor de estómago

   Si _____, no puedes _____

Nombre: _____   **Fecha:** _____

32 Problemas de salud

▶ **Lee y elige.** Read about the problems at the summer camp and mark if the following sentences are true (*C*) or false (*F*).

¡Enfermedad en el campamento!

Cinco jóvenes están en el hospital. Todos tienen fiebre y dolor de estómago. La causa de la enfermedad puede ser la comida o la gripe. Los padres están muy enojados: «Si es un buen campamento, tienen que cuidar a nuestros hijos». Los directores del campamento no quieren hablar con la televisión.

Una de las jóvenes enfermas, Marta Vega, se siente muy débil y le duelen el estómago, las piernas y los brazos. Dice: «Nos gusta el campamento, pero a veces la comida no nos gusta. No está buena».

Otro joven, Alberto Ruiz, explica: «A mí no me duele el estómago, pero tengo fiebre y me duele la cabeza».

1. Cinco jóvenes y los directores del campamento están enfermos.   C   F

2. Los directores tienen gripe.   C   F

3. Marta Vega está enojada con los directores.   C   F

4. Marta Vega se encuentra débil.   C   F

5. La comida puede ser la causa de la enfermedad.   C   F

6. Los padres están enojados con sus hijos.   C   F

▶ **Contesta.** Give your opinion about the cause of the illness.

Si una de las jóvenes dice que a ellos no les gusta la comida... _____

_____

_____

_____

33 La enfermera al teléfono

▶ **Lee y escribe.** You are working at a health help line. Complete the conversation. First rephrase the problem, then give advice. Use the images below.

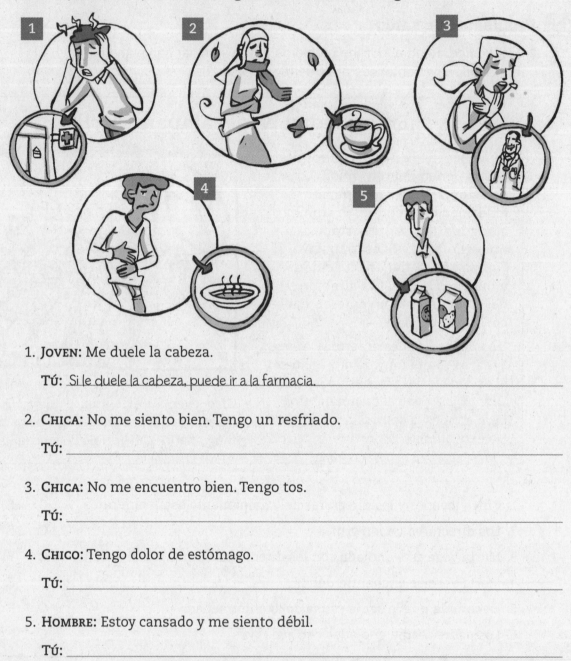

1. **Joven:** Me duele la cabeza.

   Tú: Si le duele la cabeza, puede ir a la farmacia.

2. **Chica:** No me siento bien. Tengo un resfriado.

   Tú: _____

3. **Chica:** No me encuentro bien. Tengo tos.

   Tú: _____

4. **Chico:** Tengo dolor de estómago.

   Tú: _____

5. **Hombre:** Estoy cansado y me siento débil.

   Tú: _____

34 Tu salud

▶ **Describe.** What health problems do you usually have (*normalmente*) and never have (*nunca*)?

_____

_____

Nombre: .... Fecha: ....

REMEDIOS BÁSICOS Y HÁBITOS SALUDABLES

beber mucha agua	to drink a lot of water
caminar	to walk
comer bien	to eat well
comer mal	to eat badly
correr	to run
cuidarse	to take care of oneself
descansar	to rest
estar en forma	to be in shape
hacer deporte	to do sports
hacer ejercicio	to exercise
los medicamentos	medications, medicines
tomar medicamentos	to take medicine(s)

Yo **hago ejercicio** y **me cuido.**

35 **¿Qué piensas tú?**

▶ **Elige.** Mark if the following sentences are true (*C*) or false (*F*) to give your opinion.

1. Si siempre comes ensaladas y carne, no comes bien.   C   F

2. Si haces deporte todos los días, te cuidas muy bien.   C   F

3. Si no descansas y comes mal, puedes estar en forma.   C   F

4. Si duermes tres horas, descansas bien.   C   F

5. Si bebes muchos refrescos, te cuidas muy bien.   C   F

6. Si no comes bien, es fácil estar enfermo.   C   F

▶ **Corrige.** Rewrite the false sentences to reflect healthy behavior.

_____

_____

_____

▶ **Escribe.** Write what you do to keep yourself healthy.

_____

_____

_____

_____

36 **Buenos hábitos**

▶ **Escribe.** Write a caption for each photo. Use the verbs in the box below.

| caminar | estar en forma | descansar | comer bien | hacer deporte ✓ |

1. Él siempre hace deporte.

3. _____
_____

4. _____
_____

2. _____
_____

5. _____
_____

▶ **Escribe.** Ask questions using the words in parentheses. Then answer them.

1. (tus padres – hacer deporte) ¿_____?
_____

2. (tu mejor amigo – comer bien) ¿_____?
_____

3. (tú – estar en forma) ¿_____?
_____

Nombre: _____   **Fecha:** _____

EL IMPERATIVO AFIRMATIVO DE TÚ. VERBOS REGULARES

CAMINAR	COMER	ESCRIBIR
camina (tú)	come (tú)	escribe (tú)

Present tense	Affirmative tú command
tú caminas	camina
tú comes	come
tú escribes	escribe

Lávate los dientes después de comer.

37   Buenos consejos

▶ **Lee y escribe.** Give each person advice. Use the words in parentheses.

1 Estoy resfriada.   Ana

3 Me siento mal.   Marta

5 Me duele la garganta.   Susana

2 Estoy débil.   Pedro

4 Me duelen mucho los pies.   Carlos

6 Me duele el estómago.   Juan

1. Ana (tomar jugos naturales) _____

2. Pedro (comer bien) _____

3. Marta (llamar al médico) _____

4. Carlos (descansar) _____

5. Susana (beber un té con miel) _____

6. Juan (tomar una sopa caliente) _____

38 Sopa de letras

▶ **Busca y escribe.** Find five affirmative *tú* commands in the puzzle. Use them to complete the guidelines for a healthy life.

S	A	R	R	I	B	U	N	D	L
C	A	M	I	N	A	H	R	E	E
N	G	A	E	I	R	F	O	S	F
I	T	A	S	A	B	R	O	C	I
R	E	C	O	M	E	O	H	A	V
F	C	U	D	E	B	V	I	N	A
E	I	F	A	I	E	O	T	S	R
I	G	E	O	E	X	T	E	A	R
V	U	Z	I	P	N	H	U	A	E
D	A	B	R	T	C	U	I	D	A

Guía de la salud diaria

1. _____ mucha fruta.

2. _____ dos litros de agua.

3. _____ ocho horas.

4. _____ tu salud.

5. _____ una hora al día.

▶ **Escribe.** Write two more "healthy" commands.

1. _____

2. _____

39 Una receta

▶ **Lee y corrige.** Rewrite the six verb forms in this recipe. Use the affirmative *tú* command throughout.

Sopa de otoño

Lavar[1] las papas.
Cortar[2] las verduras.
Mezclar[3] las papas y las verduras.

Cocinar[4] todo en 1 litro de agua
30 minutos.
Condimentar[5] con sal y pimienta.
Comer[6] caliente.

1. _____

2. _____

3. _____

4. _____

5. _____

6. _____

Nombre: ....   **Fecha:** ....

40   Hábitos saludables

▶ **Lee y corrige.** Read Jaime's opinion about a healthy lifestyle. Find two mistakes, and correct them.

CORREGIR

bien

Para llevar una vida sana hay que comer ~~mal~~

y tomar frutas y verduras todos los días.

También es bueno beber muchos refrescos.

Es importante hacer ejercicio habitualmente

y cuidarse. Y para descansar bien, hay

que acostarse tarde y dormir ocho horas

aproximadamente.

41   Vida sana

▶ **Escribe.** The kindergarten teacher at a local school has asked you to write a letter to his class about how to maintain a healthy lifestyle. Please include information about a healthy daily routine, healthy eating, and exercise habits.

Estimados amigos:

 Para ser una persona sana hay que empezar una rutina diaria. Tienen que...

_____

_____

_____

_____

_____

_____

_____

_____

_____

_____

_____

42 **Remedios caseros**

▶ **Escribe.** Look at the photos and write a health problem and advice for each.

— _Estoy débil y cansada._

— _Descansa._

— _____

— _____

— _____

— _____

— _____

— _____

— _____

— _____

— _____

— _____

▶ **Escribe.** Do you know any other advice for some of the health problems above? Describe it using the _tú_ command.

_____

_____

_____

Nombre: .... **Fecha:** ....

43 **Prepárate para ir de viaje**

▶ **Lee y completa**. This website suggests taking these personal items when you travel. Complete it by adding captions or drawings.

PRODUCTOS DE HIGIENE

1. Pasta de dientes.

4. _____

7. Peine _____

2. _____

5. Gel. _____

8. _____

3. Desodorante. _____

6. _____

9. Toalla. _____

▶ **Busca y calcula**. In the box below, list the items you need to buy from the list above. Then calculate how much these items cost, using prices from a local store.

TENGO QUE COMPRAR...	ME VA A COSTAR...

44 Un diario

▶ **Lee y completa.** Use the correct forms of the verbs in parentheses to complete this person's diary.

Sábado, 4 de mayo

Mis amigos y yo estamos de vacaciones en la montaña. El paisaje

es precioso, me (gustar) _____ mucho.

Hoy no puedo ir de excursión porque no me (sentirse) _____ bien.

Me (doler) _____ la cabeza y también me (doler) _____

mucho los pies. Pero no estoy triste. En el hotel hablo con la gente,

(oír) _____ música, (ver) _____ la televisión y (descansar)

_____ . Y esta tarde voy al pueblo a comprar, porque el champú

del hotel no (oler) _____ bien.

45 Consejos para una vida sana

▶ **Completa.** Complete this text using the *tú* commands.

Cómo llevar una vida sana

1. (Cuidar) _____ tu alimentación.
   (Comer) _____ bien y (tomar)
   _____ muchas frutas y verduras.
   ¡Las vitaminas son muy importantes!

2. (Beber) _____ mucha agua, aproximadamente
   un litro y medio o dos litros todos los días.

3. Un poco de ejercicio todos los días es muy bueno para tu salud. (Caminar)
   _____ o (correr) _____ por el parque, (pasear)
   _____ por la calle o (practicar) _____ deporte
   con tus amigos. ¡Es divertido y muy sano!

4. (Dormir) _____ ocho horas al día. Tienes que descansar para
   estar bien.

5. Si tienes algún problema de salud, (visitar) _____ a tu médico.

Nombre: .... Fecha: ....

46 Recuerda

▶ **Corrige y escribe.** The following sentences have wrong information. Correct them and write each one below the appropriate photo.

1. El Camino de Santiago lleva a los peregrinos a la catedral de Madrid.
2. La antigua cocina es un lugar interesante del monasterio de Silos.
3. El español Pablo Picasso es un famoso ciclista.
4. La Alhambra es una fortaleza árabe. Está en Santiago.

_____

_____

_____

_____

_____

_____

_____

_____

47 El *Guernica*

▶ **Elige.** Mark if these statements about *Guernica*, by Pablo Picasso, are true (*C*) or false (*F*).

	C	F
1. El *Guernica* representa el horror de la guerra.	C	F
2. Picasso pinta el *Guernica* durante la Guerra Civil española.	C	F
3. En esta obra hay dos animales: un caballo y un gato.	C	F
4. En esta obra no hay personas.	C	F
5. El *Guernica* está en el museo Reina Sofía de Madrid.	C	F

48 **¿Cierto o falso?**

▶ **Observa y elige.** Medieval artisans decorated columns with stone carvings. Study the photos and mark if the following sentences are true (*C*) or false (*F*).

A
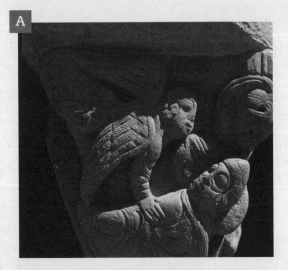

C

B

D

1. Todas las figuras tienen cabeza, cuerpo y brazos humanos. C F

2. Los artistas mezclan cuerpos de personas y de animales. C F

3. Hay figuras con barba (*beard*), cola (*tail*) y alas (*wings*). C F

4. Hay escenas de la vida diaria. C F

▶ **Selecciona y describe.** Choose two photos and describe what you see.

En la foto _____, veo _____

_____

En la foto _____, veo _____

_____

Español Santillana. Practice Workbook. Unidad 5

El juego del conocimiento

Nombre: .... **Fecha:** ....

Can you answer each question in less than 10 seconds? Correct sentences earn you 2 points. Mistakes in spelling or agreement, subtract 1 point.

⚑ DESAFÍO 1

1 ¿Qué te gusta más, oler flores u oler comida?	**2** ¿Quién de tu familia tiene el pelo rubio?	**3** ¿De qué color tienes los ojos?

⚑ DESAFÍO 2

4 ¿A qué hora te despiertas?	**5** ¿Cuándo te lavas los dientes?	**6** ¿Qué necesitas para lavarte el pelo?

⚑ DESAFÍO 3

7 Si te sientes mal, ¿qué haces?	**8** Si haces ejercicio, ¿cómo te sientes?	**9** Si tienes un resfriado, ¿qué haces?

⚑ DESAFÍO 4

10 ¿Con qué frecuencia haces deporte?	**11** ¿Puedes dar un consejo para comer bien?	**12** ¿Qué compras en la farmacia?

Cultura

Answer these questions. Then write the numbered letters to guess the name of a famous Spanish cyclist who won famous bicycle races like the Tour de France and the Giro D'Italia.

1 ¿Cuál es la capital de España?

__ __ __ __ __ __
  1   2

2 ¿Cómo se llama el cuadro que Picasso pinta en 1937, durante la Guerra Civil española?

__ __ __ __ __ __
    3

3 Este antiguo hospital de Santiago de Compostela es hoy un precioso hotel. ¿Cómo se llama?

Hostal de los ...

__ __ __ __ __   __ __ __ __ __ __
     4   5

4 ¿En qué ciudad española está el famoso palacio de la Alhambra?

__ __ __ __ __ __ __
       6   7

5 ¿Cómo se llama la ruta que siguen miles de peregrinos de todo el mundo por el norte de España?

__ __ __ __ __ __ __ __ __ __
  8 9   10

Personaje secreto:

__ __ G __ __ __   I __ U R __ __ __
1 2   3 4 5   6 7   8 9 10

Nombre: .... **Fecha:** ....

DESAFÍOS EN CASA

1 **¿A qué me dedico?**

▶ **Lee y relaciona.** Read the statements and match each one with the corresponding photo.

1. En mi trabajo como ingeniera no estoy siempre en la oficina. ☐

3. Yo soy abogada. Me gusta mucho mi profesión. ☐

2. Yo me dedico a la fotografía. Es un trabajo creativo. ☐

4. Yo quiero ser jugador profesional de fútbol. ☐

A

C

B

D

2 **¿Qué necesitas?**

▶ **Elige.** Mark if these sentences are true (C) or false (F).

1. Si eres ingeniero, casi nunca trabajas con una computadora. C F
2. Si quieres ser fotógrafo, tienes que tener una buena cámara. C F
3. Si quieres ser abogado, necesitas tener una oficina. C F
4. Si quieres ser un atleta profesional, no tienes que comer bien. C F
5. Si quieres ser secretario, tienes que hacer mucho deporte. C F
6. Si quieres ser médico, no necesitas estudiar. C F

3 **¿Dónde trabajan?**

▶ **Lee y contesta.** Answer the questions with complete sentences.

1. ¿Dónde trabaja un médico?

_____

2. ¿Dónde trabaja un maestro?

_____

3. ¿Dónde trabaja una secretaria?

_____

4. ¿Dónde trabaja un entrenador de fútbol?

_____

5. ¿Dónde trabaja una abogada?

_____

EXPRESIONES ÚTILES

4 **Algunas expresiones**

▶ **Relaciona.** Match each sentence in column A with the logical response in column B.

Ⓐ

1. ¿A qué se dedica María?
2. ¿En qué trabajas?
3. ¿Cómo se encuentran ellos?
4. Hay diez sillas y somos diez personas.
5. ¿Qué quieres ser?

Ⓑ

a. Quiero ser abogada.
b. Se dedica a la ingeniería.
c. Soy entrenador de tenis.
d. ¡Muy bien! Están muy contentos.
e. ¡Perfecto!

Nombre: ....   **Fecha:** ....

Yo soy **médica.** Trabajo en un **hospital.**

LOS LUGARES DE TRABAJO

la escuela	*school*
la fábrica	*factory*
el hospital	*hospital*
la obra	*construction site*
la oficina	*office*

LAS PROFESIONES

el/la abogado(a)	*lawyer*
el/la director(a)	*director, principal*
el/la entrenador(a)	*coach*
el/la ingeniero(a)	*engineer*
el/la maestro(a)	*teacher*
el/la médico(a)	*doctor*
el/la secretario(a)	*secretary*

5   **Crucigrama de trabajos**

▶ **Lee y completa.** Read the definitions and complete the crossword puzzle.

HORIZONTAL

1. Él defiende a su cliente.
2. Ella trabaja en un gimnasio.
3. Allí trabajan los abogados.
4. Ella trabaja en el hospital.
5. Él trabaja en una oficina.

VERTICAL

6. Allí trabajan las maestras.
7. Él dirige la empresa o la escuela.
8. Allí trabajan las ingenieras.

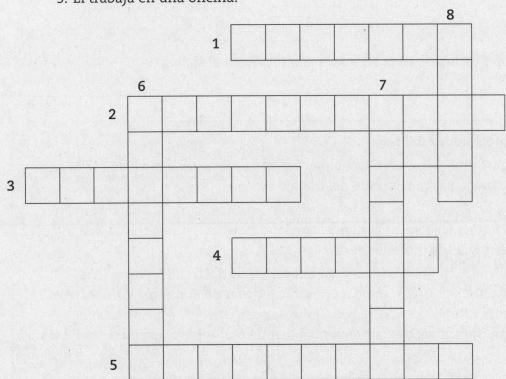

6 **¿Qué hace?**

▶ **Lee y escribe.** Read the descriptions and write the name of the profession each one refers to. Use the scrambled words in the box to help you.

| dagoboa | cmdiéo | aeasmrt | ieoadrrct |

1. Esta mujer trabaja con niños todos los días. Enseña Matemáticas.

Es _____

2. Este hombre trabaja con gente enferma en un hospital. Los enfermeros le ayudan.

Es _____

3. Esta mujer dirige una fábrica. Es la persona más importante de esa fábrica.

Es _____

4. Este hombre siempre defiende a sus clientes. Trabaja en una oficina.

Es _____

7 **Las profesiones del siglo XXI**

▶ **Contesta y lee.** Answer the questions. Then read the text and check your answers.

1. En tu opinión, ¿qué profesión tiene más futuro en el siglo XXI?

_____

2. Pon dos ejemplos de profesiones con futuro en el siglo XXI.

_____

Las profesiones del siglo XXI

La constante innovación tecnológica y los cambios en la sociedad tienen consecuencias en el mundo del trabajo.

Las nuevas tecnologías son necesarias en muchos trabajos, ahora y también en el futuro. Bibliotecario informatizado[1] o experto en educación a distancia[2] son ejemplos de profesiones del siglo XXI.

También los cambios sociales afectan al mundo del trabajo. Por ejemplo, en muchos países hay ahora menos niños y más personas mayores. Y también hay más interés por la ecología. Trabajos como médico especialista en personas mayores o experto en medioambiente[3] son profesiones con futuro.

[1]Digital librarian.   [2]Distance education expert.   [3]Environmental expert.

Nombre: ....   **Fecha:** ....

IMPERATIVO AFIRMATIVO. VERBOS IRREGULARES

Decir (to say)	Hacer (to do)	Ir (to go)	Poner (to put)	Salir (to leave)
di	haz	ve	pon	sal

Ser (to be)	Tener (to have)	Venir (to come)
sé	ten	ven

Di siempre la verdad.

8 ▶ **Por favor…**

▶ **Completa.** Complete each sentence with an affirmative command. Use the verb in parentheses and one of the phrases below.

en el refrigerador ✓   al supermercado   a casa   del baño

amable   paciencia   un té   tu número de teléfono

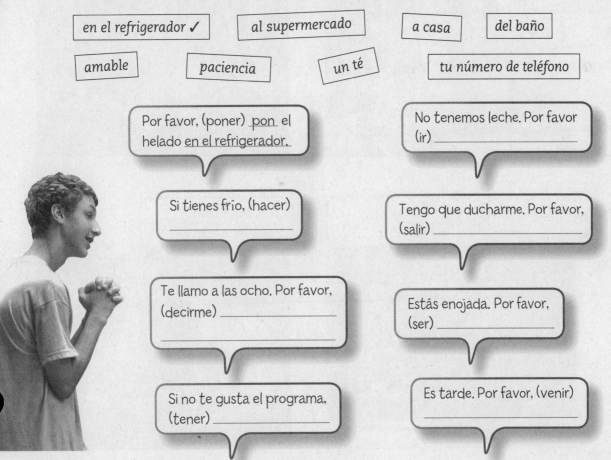

Por favor, (poner) _pon_ el helado _en el refrigerador._

No tenemos leche. Por favor (ir) _____

Si tienes frío, (hacer) _____

Tengo que ducharme. Por favor, (salir) _____

Te llamo a las ocho. Por favor, (decirme) _____ _____

Estás enojada. Por favor, (ser) _____

Si no te gusta el programa, (tener) _____

Es tarde. Por favor, (venir) _____

9 **¿Qué tengo que hacer?**

▶ **Contesta.** Answer each question with an affirmative command.

1. ¿Tengo que ser estudioso? _Sí, sé estudioso._____

2. ¿Tengo que ir a casa de la tía? _____

3. ¿Tengo que tener paciencia? _____

4. ¿Tengo que salir con mis primos? _____

5. ¿Tengo que poner la mesa? _____

6. ¿Tengo que hacer la tarea? _____

10 **¿Qué hago?**

▶ **Lee y completa.** Read the dialogues and complete the speech bubbles using a command form and an object pronoun.

¿Tengo que hacer la tarea ahora?

Sí, _____

¿Dónde pongo el libro?

_____ en la estantería.

¿Qué le digo a la jueza?

_____ la verdad.

¿Dónde compro una buena cámara?

_____ en el centro comercial

Nombre: _____   Fecha: _____

11 ¡Sé entrevistador por teléfono!

▶ **Escribe.** Use this ad to answer Pablo's questions about the scholarship program. Transform the verbs in the infinitive form. Use affirmative *tú* commands.

¡Atención, estudiante!

¿Quieres ganar una beca de estudios?

Es fácil. Solo tienes que...

1. Venir a la reunión informativa el día 29 de octubre.

2. Ir a la Sala Roja del Hotel Supremo.

3. Decir tu nombre para entrar.

4. Hacerte una foto en la Sala Azul.

5. Poner tu currículum (*resumé*) en un sobre y entregarlo.

¡Ven temprano y gana una beca!

A: Buenos días. Quiero ganar una beca de estudios. ¿Qué tengo que hacer?

B: _____

A: ¿Adónde tengo que ir?

B: _____

A: ¿Qué tengo que decir para entrar?

B: _____

A: ¿Qué tengo que hacer después?

B: _____

A: ¿Tengo que hacer algo más?

B: _____

12 Un anuncio interesante

▶ **Corrige.** This summary of the student recruitment event has four spelling mistakes and four vocabulary mistakes. Write your corrections on the lines to the right.

CORREGIR

Información para estudiantes

¿Quieres ser <u>maistra</u> y enseñar a niños? ¿Te gusta la <u>photografía</u>? ¿Prefieres ser <u>secretaryo</u> o ser <u>enfrmero</u>?

Hoy los estudiantes tienen una buena oportunidad para recibir información sobre profesiones. Hay <u>abogados</u> para explicar la vida de un jugador profesional y <u>médicos</u> para describir la construcción de edificios. También unos <u>ingenieros</u> explican el trabajo en los hospitales y unos <u>entrenadores de fútbol</u> describen las leyes.

Ven a la reunión hoy a las 4:00 p. m. en la sala 8.

1. _____
2. _____
3. _____
4. _____
5. _____
6. _____
7. _____
8. _____

13 Los anuncios por palabras

▶ **Lee y escribe.** Read the ads and choose the best tutor for each student. Explain your reasons. Use the model.

Necesito un profesor

- Mi hermano y yo tenemos problemas con las Matemáticas. Preferimos clases en casa.
- Quiero practicar un deporte con un entrenador. Tengo 9 años.
- Quiero mejorar mi español. Quiero clases los jueves.
- ¿Cómo escribo un correo electrónico? Necesito clases. Solo hablo español.

El profesor en casa

- Entrenadora de tenis. Tengo mucha experiencia con niños. Hablo inglés y francés.
- Secretario en una oficina. Trabajo bien con las computadoras. Doy clases en mi casa. También hablo inglés.
- Maestra de Español. Doy clases a niños y jóvenes miércoles y jueves.
- Ingeniero. Doy clases de Matemáticas a grupos de niños. Solo sábados.

El ingeniero puede dar clases de Matemáticas a los dos hermanos. Son un grupo.

_____

_____

_____

Nombre: ....   **Fecha:** ....

LOS PASATIEMPOS

actuar	to act	leer un libro	to read a book
bailar	to dance	montar	
caminar	to walk	en bicicleta	to ride a bike
cantar	to sing	nadar	to swim
escribir	to send a text	pintar	to paint
mensajes	message	tocar el piano	to play
escuchar música	to listen to music		the piano
hacer deporte,		viajar	to travel
practicar deportes	to play sports		

Practico deportes todos los días.

14 ¿Qué haces en tu tiempo libre?

▶ **Relaciona.** Match each picture with an appropriate sentence. Write the number.

1. Toco el piano. ✓
2. Camino mucho.
3. Nado una milla diaria.
4. Monto en bicicleta.
5. Actúo en un club.
6. Leo libros.
7. Bailo con mi novio.
8. Hago deporte.

C

F

A

D

G

B 1

E

H

15 Una encuesta

▶ **Escribe.** Say which of your friends or family members does each activity.

1. Ve la televisión todos los días. _____

2. Siempre escucha música en el coche. _____

3. Pinta cuadros en el parque. _____

4. Monta en bicicleta los fines de semana. _____

5. A veces lee libros en español. _____

6. Escribe mensajes todos los días. _____

16 Tu agenda de tiempo libre

▶ **Completa.** Complete the planner with your free-time activities this week.

DOMINGO	
LUNES	
MARTES	
MIÉRCOLES	
JUEVES	
VIERNES	
SÁBADO	

Nombre: ....   Fecha: ....

IR A + INFINITIVO

To express the intention to do something,
use this structure:

| ir a + infinitivo | **Vamos a viajar** a Miami.

Voy a nadar.

EXPRESIONES TEMPORALES DE FUTURO

ahora	*now*	mañana	*tomorrow*
luego	*later*	mañana por la mañana	*tomorrow morning*
después	*later*	mañana por la tarde	*tomorrow afternoon/ evening*
hoy	*today*	mañana por la noche	*tomorrow night*
esta mañana	*this morning*	la próxima semana,	
esta tarde	*this afternoon*	la semana que viene	*next week*
esta noche	*tonight*	el próximo año,	
		el año que viene	*next year*

17 **¿Cuándo?**

▶ **Escribe.** Today is Wednesday, November 8. It is 9:00 a. m. Ask questions substituting the underlined phrases with an equivalent time expression.

1. Voy al aeropuerto <u>el jueves a las 8:00 a. m.</u>

   ¿Vas al aeropuerto mañana por la mañana?

2. Mis padres van a México <u>el 9 de diciembre.</u>

   _____

3. Mi hermano y yo vamos a Perú <u>en enero.</u>

   _____

4. Ella va a la escuela <u>hoy a las 9:00 a. m.</u>

   _____

5. Mis amigos van al parque <u>hoy a las 5:00 p. m.</u>

   _____

18 **Planes para el futuro**

▶ **Lee y elige.** Write today's date and the time. Then read and underline a time expression to make a true statement.

La fecha de hoy: _____ *La hora:* _____

1. Mañana es (domingo / lunes / martes / miércoles / jueves / viernes / sábado).

2. El mes que viene es (febrero / marzo / abril / mayo).

3. La próxima semana es (primavera / verano / otoño / invierno).

4. Voy a almorzar (ahora / más tarde / nunca).

5. Mañana (por la mañana / por la tarde / por la noche) voy a ducharme.

19 **¿Qué van a hacer?**

▶ **Escribe.** Write sentences describing what these people are going to do.

1. Juan y Teo _van a montar en bicicleta._

2. Mercedes _____

3. Manuel _____

4. Marina y Sofía _____

5. Mis amigos y yo _____

Nombre: _____   Fecha: _____

20 Los planes de Raquel

▶ **Escribe.** Study the pictures and say what Raquel is going to do next Saturday. Important! Use time expressions, not the hour!

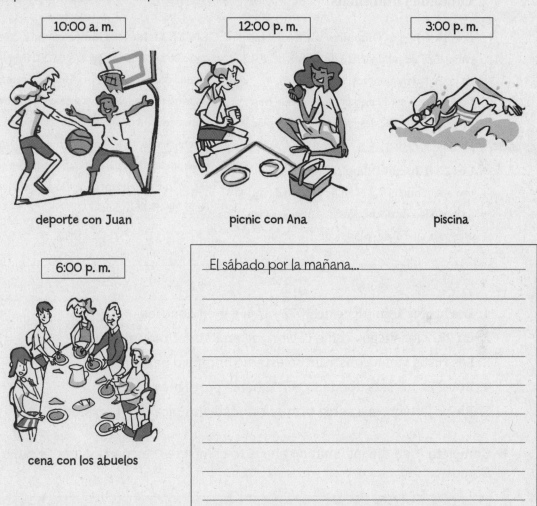

| 10:00 a. m. | 12:00 p. m. | 3:00 p. m. |

deporte con Juan   picnic con Ana   piscina

6:00 p. m.

El sábado por la mañana... _____

_____

_____

_____

_____

_____

_____

_____

_____

cena con los abuelos

21 Tu futuro

▶ **Escribe.** Complete the sentences to tell what you are going to do at each of the times below. Use the structure *ir a* + infinitive.

1. Esta noche _____

2. Mañana por la mañana _____

3. Mañana por la tarde _____

4. La próxima semana _____

5. El año que viene _____

22 Los Juegos Olímpicos

▶ **Lee y elige.** Read the text and decide if the statements below are true (*C*) or false (*F*).

Lunes 4 de enero de 2010

Ciudades olímpicas

Los **XXX Juegos Olímpicos** van a celebrarse entre el 27 de julio y el 12 de agosto de 2012 en la ciudad de Londres, Reino Unido. Londres va a ser la primera ciudad con tres Juegos Olímpicos, después de las Olimpiadas de 1908 y 1948.

Los **XXII Juegos Olímpicos de Invierno** van a ser entre el 7 y el 23 de febrero de 2014 en la ciudad de Sochi, Rusia. Además van a construir un estadio olímpico.

Los **XXXI Juegos Olímpicos** van a celebrarse entre el 5 y el 21 de agosto de 2016 en la ciudad de Río de Janeiro, Brasil. Además, es la primera vez que se va a celebrar un evento olímpico en América del Sur, la primera en un país donde se habla portugués, la segunda en un país de Latinoamérica (México fue el primero, en 1968) y la tercera en el Hemisferio Sur.

---

1. Los Juegos Olímpicos de 2012 van a ser en Londres.   C   F
2. En 2012 los juegos van a celebrarse en Reino Unido por primera vez.   C   F
3. Los rusos van a construir un estadio olímpico para 2014.   C   F
4. Brasil es un país donde la gente habla portugués.   C   F
5. Río de Janeiro va a ser la primera ciudad olímpica del Hemisferio Sur.   C   F

▶ **Completa.** Use the information above to complete the chart on the Olympic Games.

Año	Ciudad	País	Idioma
1908			
	Londres		
1968	Ciudad de México		
2012			inglés
	Sochi		ruso
2016			portugués

Nombre: ....   **Fecha:** ....

TIEMPO LIBRE

escribir correos	to write e-mails
escuchar la radio	to listen to the radio
grabar	to tape, to record
ir al cine	to go to the movies
jugar a los videojuegos	to play video games
tomar/sacar fotos	to take pictures
ver películas	to see movies
la cámara de fotos	camera
la cámara de video	camcorder
la película	movie, film
el videojuego	video game

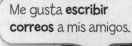

Me gusta **escribir correos** a mis amigos.

23 ¿Cómo pasas tu tiempo libre?

▶ **Lee y completa.** Read the sentences and complete them with the words or phrases in the box.

tomar fotos	grabar	escribir correos
jugar	ir al cine	escuchar la radio

1. Cuando estoy aburrido, me gusta _____ a los videojuegos.

2. Para estar en contacto con mis amigos les _____

3. Cuando tenemos una reunión familiar, siempre _____

4. No veo la televisión. Yo _____

5. Para ver películas prefiero _____ que verlas en un DVD.

6. Para el proyecto de la clase de Español vamos a _____ un video.

▶ **Clasifica.** Classify the free-time activities above according to your likes.

ME GUSTA	NO ME GUSTA

24 ¿Dónde están?

▶ **Busca.** Find and circle the words that describe each photo.

E	P	R	C	C	B	A	M
O	E	A	N	Á	K	L	U
I	L	D	L	M	H	R	S
I	Í	I	M	A	E	S	F
A	C	O	R	R	E	O	O
V	U	G	V	A	S	V	T
R	L	R	I	A	I	E	O
F	A	M	O	R	A	L	B
V	O	W	C	O	S	J	E

25 Tu tiempo libre

▶ **Contesta.** Answer the survey questions with information about your use of each mode of communication or entertainment.

1. ¿Cuántos correos electrónicos escribes cada día?

_____

2. ¿Sacas más fotos con tu cámara o con tu celular?

_____

3. ¿Con qué frecuencia vas al cine?

_____

4. ¿Cuántas horas al día juegas a los videojuegos?

_____

Nombre: .... **Fecha:** ....

EL PRESENTE CONTINUO

yo	estoy trabajando	nosotros nosotras	estamos trabajando
tú	estás trabajando	vosotros vosotras	estáis trabajando
usted él ella	está trabajando	ustedes ellos ellas	están trabajando

The present progressive is formed as follows:

-ar	-ando
-er	-iendo
-ir	-iendo

estar + *present participle*

Estamos estudiando.

26 **¿Qué están haciendo ahora?**

▶ **Relaciona.** Match the statements with the pictures.

A

C

E

1. Estoy viendo la televisión. _____
2. Estamos grabando un video. _____
3. Está escribiendo un correo. _____
4. Están comiendo. _____
5. Está haciendo deporte. _____
6. Estoy descansando. _____

B

D

F

27 **Excusas, excusas**

▶ **Contesta.** Invent an excuse to decline each invitation. Use the expressions in the box and follow the model.

lavarme el pelo	ordenar la casa	limpiar el baño
	hacer la tarea ✓	barrer el suelo

1. ¿Quieres ir al cine?   No. Lo siento. Estoy haciendo la tarea. _____

2. ¿Puedo ir a verte ahora?   _____

3. ¿Quieres escuchar este CD?   _____

4. ¿Quieres jugar al tenis?   _____

5. ¿Quieres actuar en un video? _____

28 **Un espectáculo en directo**

▶ **Escribe.** You are reporting on this event. Use the present progressive form of the verbs in parentheses to create your commentary.

1. El grupo (actuar) _____ en el escenario.

2. La gente (bailar) _____ .

3. Los fans (tomar) _____ fotos.

4. Los periodistas (grabar) _____ imágenes del concierto para la televisión.

Nombre: ....   **Fecha:** ....

EL GERUNDIO

o > u	
dormir	durmiendo
morir	muriendo
poder	pudiendo

e > i	
decir	diciendo
medir	midiendo
pedir	pidiendo
servir	sirviendo
vestir	vistiendo

When the stem of an -er or -ir verb ends in a vowel,
the ending -iendo is written -yendo, like leer (leyendo), oír (oyendo).

Estoy **oyendo** música.

29 **Un crucigrama**

▶ **Completa.** Complete the crossword puzzle with the present participle of each verb.

HORIZONTAL

1. ver
2. sacudir
3. medir
4. decir

VERTICAL

5. dormir
6. vestir
7. oír
8. pedir
9. poder

30 **En familia**

▶ **Contesta.** Your sibling is complaining. Respond to each statement. Use the present progressive and the words in parentheses.

1. Nunca vistes al bebé. (ahora / yo / vestir / bebé)

_____

2. Siempre tengo que servir la sopa. (ahora / yo / servir / sopa)

_____

3. Siempre lees mis libros. (ahora / yo / no / leer / tus libros)

_____

4. Siempre pides helado de chocolate. (ahora / yo / pedir / helado de café)

_____

31 **¿Qué están haciendo?**

▶ **Escribe.** Tell your grandmother what everyone at the barbecue is doing.

Papá y mamá _____

Mi hermana Ana y yo _____

Mi abuelo _____

Mi perro Tom _____

Nombre: _____   Fecha: _____

32 De vacaciones

▶ **Lee y completa.** Read the e-mail Patricia sends her best friend and complete it with the correct form of the verbs in the boxes.

| ver | tomar | hacer | escuchar | jugar | escribir | pasar |

Para: Marta Vargas
CC:
CCO:
Asunto: ¡Hola!

¡Hola, Marta! ¿Qué tal estás? ¿Y tus vacaciones? Yo estoy en un campamento. ¡Es muy divertido! Lo estoy _____ muy bien y estoy _____ muchos amigos.

Por la mañana hacemos muchas actividades. Y por la tarde tenemos tiempo libre. Ahora mis compañeros están _____ a los videojuegos o _____ una película. Yo estoy en la sala de ordenadores _____ correos. Después voy a leer o voy a _____ música, no sé. Hoy estoy un poco cansada.

Estoy aprendiendo muchas cosas nuevas. Mañana vamos de excursión y voy a _____ fotos. Te escribo la semana que viene, ¿vale? Un abrazo,

Patricia

▶ **Escribe.** Write Marta's response to Patricia.

_____
_____
_____
_____
_____
_____
_____
_____
_____

33 Una encuesta

▶ **Contesta.** Answer these questions using complete sentences.

1. ¿Qué aparatos estás usando: un videojuego, un televisor o la computadora?

_____

2. ¿Estás comiendo o bebiendo algo? ¿Qué?

_____

3. ¿Estás escuchando a otra persona? ¿A quién?

_____

4. ¿Estás leyendo algo? ¿Qué?

_____

34 ¡Cámara! ¡Acción!

▶ **Escribe.** Put these pictures from Sonia's blog in a logical order. Then describe what is happening in each one. Use the present progressive.

1

3

2

4

En la foto 3 Sonia está... _____

_____

_____

_____

_____

Nombre: ....   **Fecha:** ....

LOS DEPORTES

el baloncesto	*basketball*
el béisbol	*baseball*
el boliche	*bowling*
el fútbol	*soccer*
el fútbol americano	*football*
el golf	*golf*
la natación	*swimming*
el tenis	*tennis*
el voleibol	*volleyball*
jugar (a), practicar	*to play*

EL EQUIPAMIENTO

el balón	*ball*	el guante	*glove*
el bate	*bat*	la pelota	*ball*
la bola	*ball*	la raqueta	*racket*
el casco	*helmet*	la red	*net*

LA COMPETICIÓN DEPORTIVA

el partido	*game*	el equipo	*team*
el estadio	*stadium*	ganar	*to win*
el/la jugador(a)	*player*	perder	*to lose*

¿Jugamos un **partido de fútbol**?

35 **¿A qué se juega?**

▶ **Relaciona.** Match each piece of equipment with its name.

A

D

E

B

1. el balón _____

2. el bate _____

3. la bola _____

4. el casco _____

5. la pelota _____

6. el guante _____

7. la raqueta _____

C

F

G

36 **¿Solo o en equipo?**

▶ **Escribe.** Write a sentence to say if you need or do not need a team for each sport.

el baloncesto ✓	el fútbol	el boliche	el béisbol
la natación ✓	el golf	el voleibol	el fútbol americano

1. Para practicar la natación, no necesito un equipo.

2. Para jugar al baloncesto, necesito un equipo.

3. Para

4.

5.

6.

7.

8.

37 **El material deportivo**

▶ **Escribe.** Ask questions using the words in parentheses.

1. (el jugador de baloncesto / usar / casco)

   ¿Usan casco los jugadores de baloncesto?

2. (los jugadores de tenis / usar / pelota)

3. (los jugadores de boliche / usar / red)

4. (los jugadores de fútbol / usar / bate)

▶ **Escribe.** What sports do you practice? Write sentences about the equipment you need to practice each one.

Nombre: ....   **Fecha:** ....

VERBOS CON RAÍZ IRREGULAR: U>UE			
JUGAR			
yo	juego	nosotros / nosotras	jugamos
tú	juegas	vosotros / vosotras	jugáis
usted / él / ella	juega	ustedes / ellos / ellas	juegan

Yo **juego** muy bien al tenis.

38 ¿Quién juega?

▶ **Completa.** Complete the speech bubbles to say or ask what sport each person or group plays. Use the verb *jugar*.

Ellos _____ _____

Yo _____ _____

¿Tú _____ _____ ?

Nosotras _____ _____

¿Ustedes _____ _____ ?

Él _____ _____

39 **Cada uno con su deporte**

▶ **Relaciona.** Match the sentence beginnings from column A with the appropriate endings from column B.

Ⓐ

1. Mis amigos Pedro y Jorge

2. Mi prima Elisa y yo

3. Cuando llueve, yo nunca

4. Los sábados mi padre

5. Tú siempre

Ⓑ

a. juego al béisbol.

b. a veces juega al golf.

c. juegas al voleibol.

d. juegan en el equipo de baloncesto.

e. jugamos al fútbol.

40 **¿A qué juego?**

▶ **Escribe.** Tell Jairo what sport to play based on the sporting equipment he brought or didn't bring to the park.

1. No tengo casco.

3. Tengo un bate.

5. No tengo un balón.

2. Tengo una raqueta.

4. Tengo una pelota.

6. No tengo una bola.

1. _Si no tienes casco, ¡juega al baloncesto!_____

2. _____

3. _____

4. _____

5. _____

6. _____

Nombre: ....   **Fecha:** ....

41 Los deportes en el mundo

▶ **Lee y completa.** Read about sports in the Spanish-speaking world. Then complete the map and the map key with appropriate drawings to show where each one is played.

> ### Los deportes en el mundo hispánico
>
> Todas las culturas del mundo tienen sus deportes favoritos. Hablar de deportes en el mundo hispánico es difícil porque hay muchos juegos distintos.
>
> El *jai alai* es muy popular en Puerto Rico, México y Argentina; el béisbol, en Cuba, Puerto Rico y Venezuela; el ciclismo, en Colombia; el baloncesto, en Argentina y Cuba; y el tenis y el hockey, en Argentina.

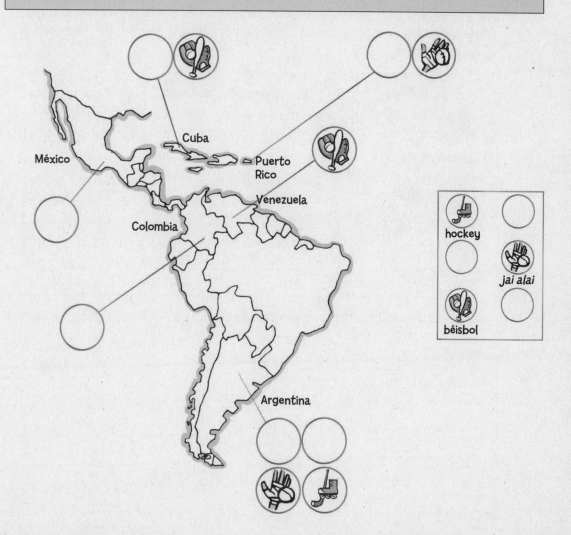

42 Periodista deportivo

▶ **Escribe.** How popular are these sports in your school or town? Compare two in each sentence, and say whether girls or boys play each one more.

el voleibol	el baloncesto	el tenis
el béisbol	el fútbol	el fútbol americano

En mi escuela, las chicas juegan más al voleibol que al béisbol. _____

_____

_____

_____

_____

_____

43 La directora de deportes va de compras

▶ **Lee y escribe.** Your school's Athletic Director has a budget to buy some athletic equipment for different sports. Write how many items she can buy for each of them.

Lista de compra
redes de voleibol
balones de baloncesto
balones de fútbol americano
bates
raquetas

Lista de precios (unidad)	
1 red de voleibol	$ 60.00
1 balón de baloncesto	$ 20.00
1 balón de fútbol americano	$ 25.00
1 bate	$ 15.00
1 raqueta	$ 35.00

Presupuesto por deporte	
voleibol	$100.00
baloncesto	$120.00
fútbol americano	$ 200.00
béisbol	$ 120.00
tenis	$ 140.00

La directora de deportes puede comprar una red de voleibol. También puede comprar...

_____

_____

_____

_____

_____

Nombre: .... **Fecha:** ....

44 **Transmisiones incompletas**

▶ **Completa.** Complete each broadcast. Use the verbs in the box.

| está jugando | está lloviendo | están bebiendo | está diciendo | están mirando |
| está bailando | están caminando | está perdiendo | están hablando | |

A

La jugadora norteamericana no _____ bien hoy.

Tiene problemas con su pierna derecha y _____ el partido.

_____ a su entrenador: «No puedo jugar más». No sabemos

si va a continuar el partido.

B

Los dos jugadores _____ por el césped.

Ahora ellos _____ las nubes.

¡Oh, no, _____!

C

Es el final de la primera parte. Algunos jugadores _____

agua. Otros _____ con el entrenador. La mascota

del equipo, un león, _____.

45 **Cambiar de profesión**

▶ **Escribe.** Who is the counselor advising in each situation? Use what you know about each person's current profession to help you discover who it is.

1. Si te gusta trabajar con estudiantes, sé experto en educación a distancia.

   Profesión actual: _____

2. Tú sabes mucho de deportes. Ve al curso de fisioterapeuta.

   Profesión actual: _____

3. ¿Te gustan los números y las computadoras? Hazte bibliotecaria informatizada (*digital librarian*).

   Profesión actual: _____

4. Si te gusta ayudar a los pacientes del hospital, ve al curso de actividad física y salud para personas mayores.

   Profesión actual: _____

5. ¿Te gusta cocinar? Pues ve al curso de cocina y aprende a ser experta en nutrición.

   Profesión actual: _____

> Soy doctora.
> Soy entrenador.
> Soy maestro.
> Soy ingeniera.
> Soy mesera.

46 **Las próximas vacaciones**

▶ **Lee y contesta.** Read the e-mail and answer it. Greet your friend. Then say what your hobbies are, and describe your plans. Give reasons for each one.

Hola, ¿qué tal?

A mí y a mi familia nos gustan mucho las actividades culturales y por eso mañana por la mañana vamos a ir a la Calle Ocho. Esta tarde voy a visitar el museo de arte latino porque me gusta mucho pintar. Y mañana por la tarde vamos a pasear en bicicleta por la playa. Y tú, ¿qué vas a hacer en tus vacaciones?

Besos,

Ana

_____
_____
_____
_____
_____
_____
_____
_____
_____
_____
_____

Nombre: .... **Fecha:** ....

47 **Diario de viaje**

▶ **Escribe.** Write two captions for each photo. You can describe the people, give them a suggestion, say what they are doing, and/or talk about what they are going to do.

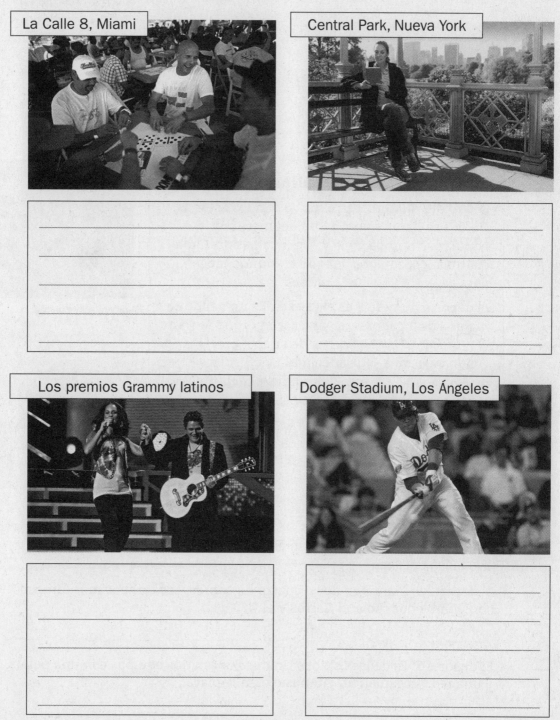

La Calle 8, Miami

Central Park, Nueva York

_____

_____

_____

_____

_____

_____

_____

_____

Los premios Grammy latinos

Dodger Stadium, Los Ángeles

_____

_____

_____

_____

_____

_____

_____

_____

48 Los deportes más populares

▶ **Lee y completa.** Study the graph and predict which sport each bar represents. Then, read and check your predictions.

Los tres deportes más populares en el mundo:

_____

_____

_____

Los tres deportes más populares en el mundo

El deporte número 1 es el fútbol. En los Estados Unidos se llama _soccer_. Es un deporte muy popular en Europa, Asia y América Latina. Cada cuatro años, equipos de todo el mundo juegan para ganar la Copa del Mundo.

El deporte número 2 es el cricket. Es un deporte inglés. Los jugadores llevan casco porque juegan con un bate. Hay jugadores de cricket en el Reino Unido, Australia, Nueva Zelanda y en países de África y del Caribe. Además, es el deporte más popular en la India y Pakistán.

El deporte número 3 es el hockey sobre hierba (_field hockey_). Es muy popular en Asia, Europa, Australia y en muchos países de África.

Hockey sobre hierba.

Cricket.

▶ **Lee y escribe.** Discover the fourth and fifth most popular sports. Solve these riddles.

– El deporte 4: Compiten dos o cuatro jugadores. Los torneos más famosos son Wimbledon, Roland Garros y el US Open.

_____

– El deporte 5: Es de los Estados Unidos. Juegan dos equipos con una pelota y una red. Juegan en un gimnasio o en la playa.

_____

Español Santillana. Practice Workbook. Unidad 6

El juego del conocimiento

Nombre: _____ **Fecha:** _____

Complete the sentences. Correct sentences are worth 2 points. For mistakes in spelling or agreement, subtract 1 point.

⚑DESAFÍO 1

1 Un médico trabaja en un _____.	**2** —¿En qué _____? —Soy abogada.	**3** Para ser un buen estudiante, _____ tu tarea todos los días.

⚑DESAFÍO 2

4 Mis padres y yo _____ a viajar el próximo sábado.	**5** A mi hermano le gusta _____ el piano.	**6** —¿Qué _____ a hacer esta tarde, Juan? —_____ a escuchar música en mi dormitorio.

⚑DESAFÍO 3

7 Me gusta tomar fotos con mi _____.	**8** ¿Prefieres _____ por teléfono o escribir correos electrónicos?	**9** —¿Qué estás haciendo? —Estoy _____ un libro muy interesante.

⚑DESAFÍO 4

10 Mis amigos y yo vamos a jugar un _____ de baloncesto.	**11** Para jugar al tenis necesitas una _____ y una pelota.	**12** Pedro y Cristina _____ al béisbol en la escuela.

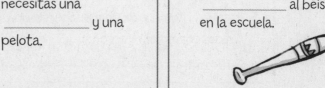

Create a mind map for three of your favorite sports or hobbies. Associate as many words as you can with it. Examples: number of players, clothing, season of the year, place where you do this. Use attractive colors and writing.

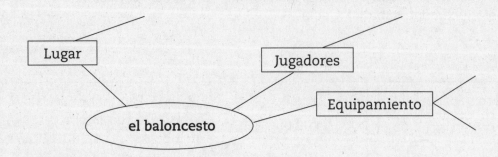

Lugar

Jugadores

Equipamiento

el baloncesto

Cultura

Answer these questions.

1 ¿En qué ciudad de los Estados Unidos está el «Parque del Dominó»?

_____

2 ¿De qué país es Juanes, el músico más premiado en los *Grammy* latinos?

_____

3 ¿En qué ciudad de los Estados Unidos se celebra la Fiesta Noche del Río?

_____

4 ¿En qué ciudad de los Estados Unidos está el museo de la Sociedad Hispánica de América?

_____

5 Escribe el nombre de un estado y de una ciudad de los Estados Unidos con nombre español.

_____

Nombre: .... **Fecha:** ....

EN TIERRA DE GAUCHOS

1 **Preparativos de viaje**

▶ **Lee y relaciona.** Read the dialogues and match each one with the corresponding photo.

1. –¿Tienen el pasaporte a mano?
   –Sí, aquí lo tenemos. ☐

3. –¿Dónde está el cámping?
   –Míralo en el plano. ☐

2. –¿Con quién hablas?
   –Con el hotel. Quiero reservar las habitaciones. ☐

4. –¿Vamos al hotel caminando?
   –No. Vamos en autobús. ☐

2 Cuando viajamos...

▶ **Elige.** Read the following statements and choose the most appropriate word.

1. Necesito un _____ para identificarme en el aeropuerto.

   a. avión　　　　　b. pasaporte　　　　c. viaje　　　　　d. billete

2. Hay que comprar billetes de _____.

   a. documentos　　b. aeropuerto　　　c. ida y vuelta　　d. reserva

3. Es importante llevar una _____ grande para la ropa.

   a. maleta　　　　b. habitación　　　c. estación　　　　d. a mano

4. Es conveniente llamar al hotel para reservar _____.

   a. los billetes　　b. los planos　　　d. las maletas　　d. las habitaciones

3 Sopa de letras

▶ **Busca.** Find the words that correspond to each picture.

E	M	A	L	E	T	A	T	B	O
D	R	I	M	T	A	S	O	I	Z
E	P	R	T	A	D	L	J	L	H
R	L	E	I	H	I	L	A	L	O
P	A	S	A	P	O	R	T	E	T
A	N	U	C	E	N	M	I	T	E
T	O	B	O	F	H	E	L	E	L
H	C	Á	M	P	I	N	G	J	N

EXPRESIONES ÚTILES

4 Expresiones

▶ **Relaciona.** Match the sentence beginnings from column A with the appropriate endings from column B.

Ⓐ

1. ¿Tienes tu pasaporte a mano?

2. ¿Están preparados?

3. Necesito dos billetes.

4. No encuentro un taxi.

Ⓑ

a. No importa. Podemos caminar.

b. ¿Los quiere de ida y vuelta?

c. No. Todavía no estamos listos.

d. Sí, aquí lo tengo, al lado de los billetes.

Nombre: ....   **Fecha:** ....

DE VIAJE

el autobús	*bus*	ir a pie	*on foot, walking*
el avión	*plane*	ir de excursión	*to go on an excursion*
el barco	*boat*	ir de vacaciones	*to go on vacation*
el coche	*car*	viajar	*to travel*
el metro	*subway*		
el taxi	*taxi*	el aeropuerto	*airport*
el tren	*train*	la estación	*station*

Me gusta más **viajar en barco** que **en avión**.

5 Crucigrama

▶ **Completa.** Use the photos to complete the crossword puzzle.

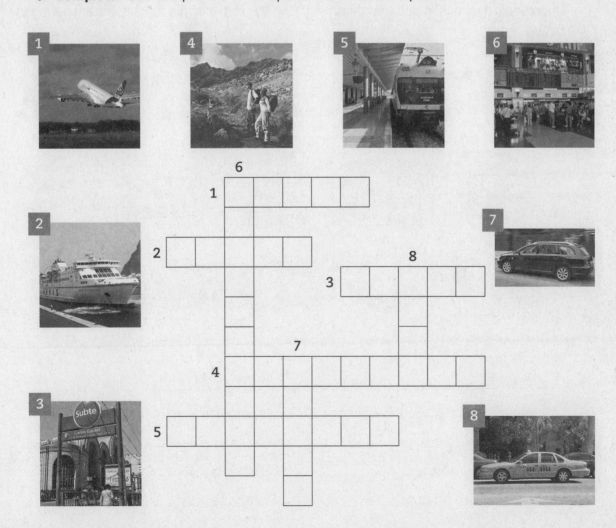

6 ¿Qué medio de transporte?

▶ **Clasifica.** Classify the means of transportation by where they travel.
Use the words in the box. Some words may appear in more than one column.

el avión	el autobús	el barco	el coche	el metro	el taxi	el tren

CAMPO	AIRE	OCÉANO	CIUDAD
el coche			

7 ¿Cómo van?

▶ **Observa y escribe.** Study the pictures. Then complete the statements with each
person's destination and transportation. Use the verb *ir* and a means of transportation.

1. El señor va al centro comercial en autobús. _____

2. Los niños _____

3. La doctora _____

4. La señora _____

5. Los jóvenes _____

Nombre: ....   **Fecha:** ....

VERBOS REGULARES EN -AR. PRETÉRITO			
yo	compré	nosotros nosotras	compramos
tú	compraste	vosotros vosotras	comprasteis
usted él ella	compró	ustedes ellos ellas	compraron

Compré esta mochila para ir de excursión.

8 Tareas domésticas

▶ **Completa.** Complete the speech bubbles with the verbs from the box.

limpiaste	corté	lavaron	ordenamos	pasó	compraron

Yo _____ el césped ayer.

Papá y mamá _____ los platos.

¿ _____ ustedes los refrescos?

Pedro, ¡no _____ la ventana!

Mi hermano _____ la aspiradora.

Luis y yo _____ los dormitorios.

9 **¿Qué hiciste?**

▶ **Escribe.** Read the answers and write the questions that prompted them. Use the correct preterite form of the verbs in the box.

cerrar ✓	comprar	pasear	cortar	estudiar

1. ¿Cerraste la puerta? _____ Sí, la cerré.

2. _____ No, no compramos el CD.

3. _____ Sí, pasearon por el parque.

4. _____ No, Juan no cortó el césped.

5. _____ Sí, estudiamos para el examen.

10 **El sábado pasado**

▶ **Relaciona y escribe.** Combine a word or phrase from each box to make five sentences that tell what people did last Saturday.

yo ✓	descansar	en la piscina
tú	visitar un museo	en mi dormitorio
mis amigos y yo	escuchar un concierto	en el garaje ✓
Pedro	comprar una cámara	en la ciudad
ellos	nadar	en el teatro
usted	lavar el coche ✓	en el centro comercial

1. Yo lavé el coche en el garaje. _____

2. _____

3. _____

4. _____

5. _____

6. _____

▶ **Escribe.** Write sentences about what you did last week. Use the verbs *hablar*, *comprar*, and *cenar*.

_____

_____

_____

Nombre: ....   **Fecha:** ....

11 **De vacaciones en Argentina**

▶ **Lee y completa.** Read the e-mail Pedro sends his friend Alberto and complete it with the correct preterite form of the verbs in parentheses.

Para:	Alberto Blanco
CC:	
CCO:	
Asunto:	Mis mejores vacaciones

¡Hola, Alberto! ¿Qué tal? Te escribo desde Argentina. Es un país muy interesante. Mi familia y yo lo estamos pasando muy bien. (Llegar, nosotros) _____ la semana pasada al aeropuerto de Iguazú y allí (visitar, nosotros) _____ las cataratas. (Grabar, yo) _____ un video con mi cámara porque es un sitio increíble. Después (volar, nosotros) _____ desde Iguazú hasta Buenos Aires. Allí (pasar, nosotros) _____ tres días. Buenos Aires es una ciudad muy interesante: (visitar, yo) _____ varios museos, (pasear, yo) _____ por la calle, (tomar, yo) _____ fotos en la famosa Plaza de Mayo… ¡y (bailar, yo) _____ un tango!

La semana pasada (pasar, nosotros) _____ unos días en Santa Fe en casa de un amigo de mis padres. Allí (cenar, nosotros) _____ en un restaurante fantástico. De postre (tomar, yo) _____ unos dulces muy buenos. Se llaman alfajores.

Te escribo la semana que viene. Un abrazo,

Pedro

▶ **Elige.** Mark if the following sentences are true (C) or false (F).

1. Pedro llegó a Argentina la semana pasada.   C   F
2. Su familia y él viajaron a Buenos Aires en avión.   C   F
3. Pedro grabó un video de la Plaza de Mayo.   C   F
4. A Pedro le gustaron mucho las cataratas del Iguazú.   C   F
5. En Santa Fe se alojaron en un hotel.   C   F
6. A Pedro no le gustó el restaurante de Santa Fe.   C   F

12 Un día muy ocupado

▶ **Observa y escribe.** Look at the pictures and write what Carlos did yesterday and at what time.

1   7:30 p. m.   3   1:00 p. m.   5   5:30 p. m.

2   8:00 a. m.   4   3:30 p. m.   6   10:30 p. m.

1. _Ayer Carlos desayunó a las siete y media de la mañana._____

2. _____

3. _____

4. _____

5. _____

6. _____

13 El verano pasado

▶ **Escribe.** Write a short paragraph about the activities you did last summer: where you traveled, what you visited, who you talked to... Use the preterite tense.

_____

_____

_____

_____

Nombre: _____   **Fecha:** _____

LOS VIAJES

el billete	*ticket*	la agencia de viajes	*travel agency*
la bolsa	*bag*	el mostrador	
la guía turística	*travel guide,*	de información	*information desk*
	guidebook	la oficina de turismo	*tourist office*
la maleta	*suitcase*	comprar recuerdos	*to buy souvenirs*
el pasaporte	*passport*	enseñar el pasaporte	*to show your passport*
		facturar el equipaje	*to check the baggage*

Tengo que enseñar el **pasaporte** y el **billete**.

14 Crucigrama

▶ **Completa.** Read the clues and complete the crossword puzzle.

HORIZONTAL

1. Vamos a la agencia de _____.

2. Pedro, ¡_____ el equipaje, por favor!

3. En la tienda puedes comprar _____ para llevar a casa.

4. No llevo mucho _____: solo una maleta.

VERTICAL

5. Solamente hay _____ de ida.

6. Es un documento muy importante para tu identificación.

7. En la oficina de _____ hay planos de la ciudad.

8. Para viajar prefiero llevar la ropa en una _____.

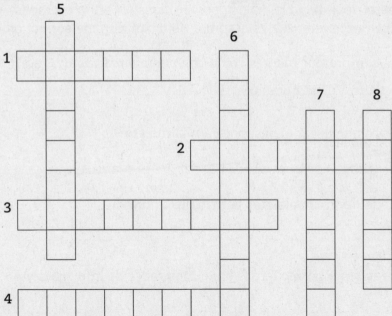

15 **Consejos en el aeropuerto**

▶ **Lee y elige.** Read this announcement and choose the option that best completes each section.

BIENVENIDOS AL AEROPUERTO DE BUENOS AIRES

Les recordamos que cada pasajero solo puede facturar dos maletas. Está permitido llevar una bolsa o mochila dentro del avión.

Antes de facturar su equipaje deben tener a mano sus billetes y pasaportes.

Si quieren comprar un recuerdo antes de viajar, pueden visitar nuestra tienda en la sala principal. También hay cafeterías y tiendas para comprar revistas o periódicos.

Si necesitan hacer una conexión en el lugar de destino, pueden consultar a nuestros trabajadores en los mostradores de información.

1. Los pasajeros solo pueden facturar…

   a. una maleta   b. dos maletas   c. una bolsa o una mochila

2. Es importante tener el pasaporte…

   a. en la maleta   b. a mano   c. en el avión

3. Puedes comprar un recuerdo…

   a. en la cafetería   b. en la sala principal   c. en el mostrador de información

16 **¿Qué tengo que hacer?**

▶ **Contesta.** Your friend is making preparations for a trip overseas. He does not have a clue what to do. Help him with the correct procedure.

1. Para comprar los billetes voy a una oficina de turismo, ¿no?

   No, tienes que ir a una agencia de viajes.

2. ¿Tengo que llevar el pasaporte en la maleta?

3. ¿Puedo llevar las maletas dentro del avión?

4. ¿Puedo comprar recuerdos en el mostrador de información?

Nombre: ....   **Fecha:** ....

VERBOS REGULARES EN -ER Y EN -IR. PRETÉRITO

Comer

yo	comí	nosotros nosotras	comimos
tú	comiste	vosotros vosotras	comisteis
usted él ella	comió	ustedes ellos ellas	comieron

Escribir

yo	escribí	nosotros nosotras	escribimos
tú	escribiste	vosotros vosotras	escribisteis
usted él ella	escribió	ustedes ellos ellas	escribieron

Ayer **comí** un postre delicioso.

Mi amiga Marisa me **escribió** un correo.

17 **¿Cuál es la correcta?**

▶ **Elige.** Circle the verb that corresponds with the subject to complete each sentence.

1. Ayer ellos prendimos / prendieron / prendisteis la luz.

2. La semana pasada yo salí / salimos / saliste a pasear.

3. Esta mañana tú sacudiste / sacudió / sacudí los muebles.

4. Mi hermano y yo abrió / abrieron / abrimos la puerta.

5. Usted y Julio comiste / comieron / comimos carne.

6. Mi amiga Carmen barriste / barrió / barrí el garaje.

7. Usted bebiste / bebisteis / bebió un refresco.

8. Ellas escribieron / escribimos / escribisteis una carta.

9. Mi padre perdí / perdió / perdiste su pasaporte.

10. Tú vivisteis / vivió / viviste dos años en Buenos Aires.

18 Preguntas

▶ **Ordena y escribe.** Put the words in order and write sentences using the correct preterite form of the verbs.

1. | televisión | | partido | | ver (tú) | | Qué | | por |

   ⇒ _¿Qué partido viste por televisión?_ _____

2. | de | | Cuándo | | escuela | | salir (tú) | | la |

   ⇒ ¿_____?

3. | tú | | familia | | Qué | | y | | comer (vosotros) | | tu |

   ⇒ ¿_____?

4. | hermano | | muebles | | sacudir (él) | | tu | | Cuándo | | los |

   ⇒ ¿_____?

5. | Cuántos | | madre | | escribir (ella) | | tu | | mensajes |

   ⇒ ¿_____?

19 ¿Presente o pretérito?

▶ **Lee y clasifica.** Read the diary entry and classify the actions by writing the underlined verbs after the appropriate tense.

> **12 de mayo**
>
> En Santa Rosa <u>celebramos</u> el Maratón A Pampa Traviesa todos los años. Mis amigas y yo siempre <u>hacemos</u> deporte. En 2008 <u>corrimos</u> juntas por primera vez. <u>Llegamos</u> al Edificio Mundial a las ocho de la mañana. A las ocho y media <u>oímos</u> al oficial: «¿Preparados? ¿Listos? ¡Ya!» Y <u>empezamos</u> a correr. Normalmente no <u>corremos</u> muy rápido, pero ese día <u>terminamos</u> la carrera en cuatro horas.
>
> Este año no <u>podemos</u> participar porque <u>vivimos</u> lejos de Santa Rosa. ¡Qué pena!

Presente: _____

_____

Pretérito: _____

_____

Nombre: .... **Fecha:** ....

20 Reportero de A Pampa Traviesa

▶ **Lee y elige.** Read this article and decide if the sentences below are true (*C*) or false (*F*).

El Maratón Internacional A Pampa Traviesa

A las 8:00 horas del domingo 5 de abril de 2009 se celebró el XXV Maratón A Pampa Traviesa en la ciudad de Santa Rosa. Los 890 participantes corrieron por las calles de la ciudad una distancia de 42.195 metros. El ganador fue Óscar Cortínez, que terminó en 2 horas, 20 minutos y 48 segundos. Cortínez ganó el Maratón cuatro veces más, la última en 2008.

Entre las atletas femeninas, la ganadora fue Andrea Graciano, con un tiempo de 2 horas, 46 minutos y 26 segundos. Graciano ganó también en 2008.

El deportista paralímpico Alejandro Maldonado (en la fotografía) ganó en su categoría.

Este Maratón Internacional se celebró por primera vez en 1985, con un total de 49 atletas. Hoy es una competición famosa en todo el mundo.

El atleta paralímpico Alejandro Maldonado.

---

1. La competición es en la ciudad de Santa Rosa.   C   F

2. En 2009 participaron más de ochocientos deportistas.   C   F

3. La carrera es solo para hombres.   C   F

4. Graciano ganó por primera vez en 2009.   C   F

5. Maldonado ganó en la categoría de atletas en silla
   de ruedas (*wheelchair*).   C   F

6. El primer maratón fue en 1985.   C   F

▶ **Completa.** Complete the sentences to draw more conclusions.

1. En 2009 ganó el Maratón _____

   _____

2. En el Maratón de 1985 participaron _____

21 Thomas Falkner, explorador inglés en Argentina

▶ **Lee y escribe.** Express the information in the timeline in complete sentences to complete the biography. Use the preterite tense.

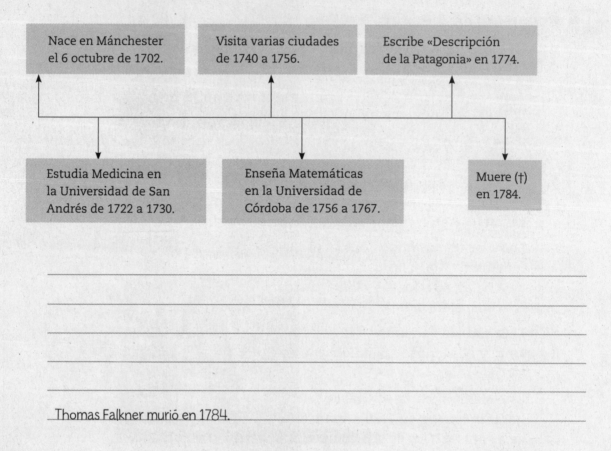

| Nace en Mánchester el 6 octubre de 1702. | Visita varias ciudades de 1740 a 1756. | Escribe «Descripción de la Patagonia» en 1774. |

| Estudia Medicina en la Universidad de San Andrés de 1722 a 1730. | Enseña Matemáticas en la Universidad de Córdoba de 1756 a 1767. | Muere (†) en 1784. |

_____

_____

_____

_____

_____

Thomas Falkner murió en 1784. _____

22 Una entrevista histórica

▶ **Lee y escribe.** Imagine you are Thomas Falkner. Answer a reporter's questions about your life.

1. ¿Dónde nació usted, señor Falkner?

_____

_____

2. ¿Qué estudió en la universidad?

_____

_____

3. ¿Cuándo escribió «Descripción de la Patagonia»?

_____

_____

Nombre: ....   **Fecha:** ....

DESTINOS Y ALOJAMIENTOS

el campo	countryside
la ciudad	city, town
la costa	coast
la montaña	mountain
la playa	beach
el cámping	campsite
el hotel	hotel
hacer turismo	to be a tourist
reservar habitación	to reserve a room

¡Este fin de semana vamos a ir de excursión a la **montaña**!

23 ¿Adónde vamos este fin de semana?

▶ **Relaciona.** Match each sentence with the corresponding picture.

1. Yo voy en tren a las montañas. _____

2. Ella va a la playa a pie. _____

3. Nosotros vamos en bicicleta por el campo. _____

4. Ellos van en avión a la ciudad. _____

5. Tú vas a la costa en coche. _____

A

B

C

D

E

24 **Letras desordenadas**

▶ **Ordena y busca.** Unscramble the words and complete the sentences below.

| ápmgnic | laspay | rusmito | tañonam | lohet | scato | pomac | diduca |

1. ¿Prefieres alojarte en un hotel o en un _____?

2. Santa Rosa es una _____ muy grande.

3. ¿Hay habitaciones libres en el _____?

4. No me gusta la playa, prefiero ir a la _____.

5. Yo vivo en el _____ porque no me gustan las ciudades.

6. ¿Buenos Aires está en el interior o en la _____?

7. A mi familia y a mí nos gusta hacer _____.

8. En la costa del océano Pacífico hay _____ fantásticas.

25 **Los mejores destinos**

▶ **Escribe.** Give advice to a friend about where to go.

1. Me gusta nadar, pasear y descansar.   _Ve a la playa._____

2. Me gusta la nieve, el deporte y caminar.   _____

3. Me gusta la gente, las tiendas, los museos…   _____

4. No me gusta dormir en un cámping.   _____

5. No me gusta la ciudad, la playa o la montaña.   _____

▶ **Completa.** Complete these sentences according to your likes.

1. En verano me gusta ir de vacaciones a _____ porque _____

_____

2. En invierno prefiero ir a _____ porque _____

_____

3. Para alojarme, me gusta ir a _____ porque _____

_____

Nombre: ....   **Fecha:** ....

MARCADORES TEMPORALES DE PASADO

anteayer	*the day before yesterday*
antes	*before*
ayer	*yesterday*
anoche	*last night*
la semana pasada	*last week*
el mes pasado	*last month*
el año pasado	*last year*

Hablé con mis abuelos **la semana pasada.**

26 **¿Cuándo?**

▶ **Relaciona.** Match the dates in column A with the expressions of time in column B. (Pretend today's date is *diez de septiembre de dos mil doce*).

Ⓐ

1. Ocho de septiembre
2. Dos de septiembre
3. Treinta de agosto
4. Nueve de septiembre
5. Dos mil once

Ⓑ

a. Ayer
b. El año pasado
c. La semana pasada
d. Anteayer
e. El mes pasado

▶ **Escribe.** Today is Monday, April 26, 2012. Substitute the underlined phrases with an equivalent time expression.

1. Visité una playa <u>en marzo</u>.

_____

2. Cené en un restaurante <u>el 25 de abril</u>.

_____

3. <u>El 20 de abril</u> salí con mis amigos.

_____

4. <u>El 24 de abril</u> compré un libro.

_____

5. Viajé a Buenos Aires <u>en 2011</u>.

_____

27 Línea del tiempo

▶ **Ordena y escribe**. Create a vertical timeline. Use the words in the box and write the corresponding date.

| ayer | la semana pasada | anteayer | el año pasado ✓ | hoy | el mes pasado |

PASADO

El año pasado → 20...

_____

_____

_____

_____

_____

_____

_____

PRESENTE

28 Línea del tiempo personal

▶ **Escribe**. Answer the questions using complete sentences.

1. ¿Qué cenaste anoche?

_____

2. ¿Adónde viajaste el año pasado?

_____

3. ¿Practicaste deporte anteayer?

_____

4. ¿Compraste ropa la semana pasada?

_____

5. ¿Bebiste algún refresco ayer?

_____

6. ¿Cuándo comiste arroz?

_____

Español Santillana. Practice Workbook. Unidad 7

Nombre: _____   **Fecha:** _____

LOS VERBOS SER E IR. PRETÉRITO

yo	fui	nosotros nosotras	fuimos
tú	fuiste	vosotros vosotras	fuisteis
usted él ella	fue	ustedes ellos ellas	fueron

Ayer no **fui** al cine con mis amigos.

29 Gente de viaje

▶ **Completa y relaciona.** Fill in the blanks with the appropriate preterite form of *ser* and *ir*. Then match each sentence with its corresponding picture.

1. Yo ___fui___ de vacaciones a la playa.   E

2. La guía turística _____ al hotel a reservar las habitaciones. ____

3. Nosotros _____ en tren a Santa Fe. ____

4 El viaje en barco _____ muy divertido. ____

5. Ayer _____ de excursión al campo. ____

6. El viaje en avión _____ muy largo: ocho horas. ____

A

C

E

B

D

F

30 Ahora y antes

▶ **Observa y escribe.** Look at the photos and write what these people used to be in the past.

1. Pedro ahora es entrenador.

   (player) Antes fue jugador.

3. Yo ahora soy la directora de la escuela.

   (secretary) _____

2. Tú ahora eres juez.

   (lawyer) _____

4. Nosotras ahora somos médicas.

   (nurses) _____

31 ¿Adónde fueron?

▶ **Lee y escribe.** Read the information in the chart and write sentences telling where each person traveled to and from and what means they took.

PERSONA	ORIGEN	DESTINO	TRANSPORTE
yo	casa	escuela	a pie
nosotros	escuela	cine	autobús
ellos	hotel	playa	taxi
tú	Buenos Aires	Salta	tren
ella	estadio	casa	coche
ustedes	teatro	parque	metro

1. Yo fui desde mi casa hasta la escuela a pie. _____

2. _____

3. _____

4. _____

5. _____

6. _____

Nombre: ....   **Fecha:** ....

32 **Unos días para olvidar...**

▶ **Lee y elige.** Read Ernesto's blog about the events that took place last weekend. Then mark if the sentences below are true (*C*) or false (*F*).

Lunes, 30 de marzo de 2011

¡Qué fin de semana!

El jueves pasado llamé a mis dos mejores amigos, Enrique y Ana, para preparar el fin de semana. Decidimos pasarlo en un pueblo de la costa.

Fuimos a la agencia de viajes para comprar los billetes de tren y reservar habitaciones en un hotel cerca de la playa.

En la estación de tren compramos una guía turística y unos sándwiches.

Después de tres horas de viaje, llegamos a nuestro destino. En la estación no encontramos ningún taxi o autobús para ir al hotel y fuimos a pie. Llegamos al hotel muy cansados, pero contentos porque la playa nos gustó mucho. Pero después empezó a llover y a hacer mucho frío. ¡Pasamos todo el día dentro de nuestra habitación!

Anteayer decidimos volver a casa. Fuimos a la estación, pero no llegamos a tiempo para tomar el tren. Caminamos hasta la estación de autobuses y, por fin, regresamos a casa.

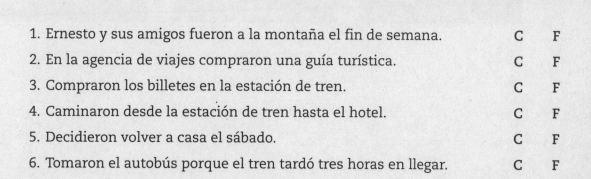

1. Ernesto y sus amigos fueron a la montaña el fin de semana.   C   F

2. En la agencia de viajes compraron una guía turística.   C   F

3. Compraron los billetes en la estación de tren.   C   F

4. Caminaron desde la estación de tren hasta el hotel.   C   F

5. Decidieron volver a casa el sábado.   C   F

6. Tomaron el autobús porque el tren tardó tres horas en llegar.   C   F

33 **Expresiones personales**

▶ **Lee y contesta.** Answer the questions in complete sentences.

1. ¿Cómo fuiste ayer de la escuela a casa?

_____

2. ¿Quién fue el primer presidente de los Estados Unidos?

_____

3. ¿Cuándo fueron al cine tus amigos y tú?

_____

4. ¿Quién fue tu primer(a) maestro(a) de Español?

_____

5. ¿Dónde fueron las últimas Olimpiadas?

_____

34 **Tus favoritos**

▶ **Escribe.** Compare each pair of photos. Say which destination, means
of transportation and lodging you prefer and why. Use *gustar más* or *preferir*.

_____
_____
_____
_____
_____

Nombre: _____   **Fecha:** _____

LA CIUDAD

el banco	*bank*	
la biblioteca	*library*	
el café	*café*	
la calle	*street*	
el hospital	*hospital*	
la iglesia	*church*	
la plaza	*square, plaza*	

Localización y direcciones

cruzar la calle	*to cross the street*
doblar a la derecha	*to turn right*
doblar a la izquierda	*to turn left*
seguir recto	*to go/walk straight ahead*

Cruza por el parque para ir al **banco**.

---

35 De paseo por la ciudad

▶ **Escribe y relaciona.** Unscramble the letters and match each word with a picture.

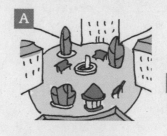
A

E

1. fcéa   café   C

2. alzpa   _____   ____

B

3. ocnab   _____   ____

F

4. lalec   _____   ____

C

5. alisgei   _____   ____

G

6. lahtispo   _____   ____

D

7. libboceati   _____   ____

36 **Mi ruta diaria**

▶ **Lee y completa.** Fill in the blanks with the appropriate word from the box.

| dobla | biblioteca | cruza | banco | café | hospital | sigue |

Luis Pérez es médico y trabaja en un _____ municipal.

Él siempre va a pie a su trabajo. Sale de casa y _____ la calle.

_____ a la izquierda y _____ recto hasta que llega

a un _____ para desayunar.

A veces pasa por el _____ para hacer un depósito o sacar

dinero.

Cuando vuelve de su trabajo entra en la _____ para leer

un libro o alguna revista.

37 **¿Por dónde voy?**

▶ **Escribe.** Correct your friend by telling him how to get to different places.

1. ¿Para ir al banco tengo que cruzar la plaza?

   ¡No, tienes que doblar a la derecha!

2. ¿Tengo que doblar a la izquierda para ir a la iglesia?

   _____

3 ¿Sigo recto para ir al hospital?

   _____

4. ¿Doblo a la izquierda para ir a la biblioteca?

   _____

5. ¿Cruzo la calle para ir a la escuela?

   _____ y _____

266

Nombre: ....   **Fecha:** ....

EL IMPERATIVO NEGATIVO

COMPRAR	COMER	ESCRIBIR
no compres	no comas	no escribas

SER	IR
no **seas**	no **vayas**

No **vayas** por el parque de noche.

---

38   **¿Qué significa?**

▶ **Relaciona.** Match each sign with its meaning.

A

D

E

B

F

1. No pasees al perro. ____
2. No uses el celular. ____
3. No comas en el parque. ____
4. No tires basura. ____
5. No vayas en bicicleta. ____
6 No nades aquí. ____
7. No bebas agua. ____

C

G

39 Prohibiciones

▶ **Escribe y dibuja.** Tell people what <u>not</u> to do. Write captions.

No dobles a la derecha.

No camines por el césped.

40 Sugerencias personales

▶ **Lee y responde.** Answer the questions your cousin asks about a visit to your school. Use only negative commands.

¡Hola!

Tengo muchas preguntas sobre mi visita. ¿Escribo una carta a tu profesora? ¿Voy a la oficina de la directora? ¿Compro recuerdos para tus compañeros? ¿Llevo mi raqueta de tenis? ¿Grabo las clases en video con mi cámara?

Bueno, gracias por tu ayuda.

Hasta pronto,

Alejandra

Querida Alejandra:

_____

_____

_____

_____

_____

_____

_____

_____

_____

Un abrazo,

Nombre: _____   **Fecha:** _____

41 Un día de turismo

▶ **Lee y dibuja.** Read what Linda says about the places she visited in Buenos Aires and trace the route on the map.

Hoy fue mi primer día en Buenos Aires. Por la mañana visité el centro comercial Galerías Pacífico. Luego fui a pie por la calle Florida hasta la avenida Corrientes. Allí doblé a la derecha y seguí recto hasta el Obelisco. Es espectacular. Tienes que verlo.

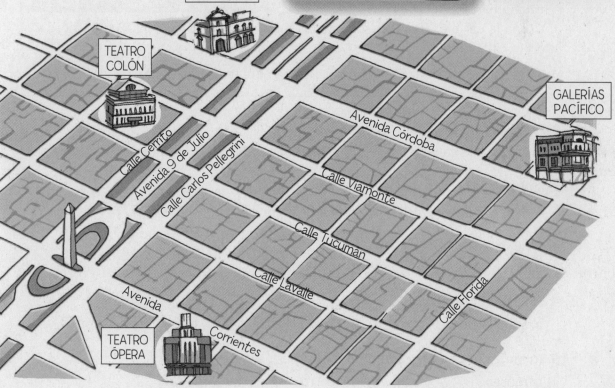

TEATRO CERVANTES

TEATRO COLÓN

GALERÍAS PACÍFICO

Avenida Córdoba

Calle Cerrito

Avenida 9 de Julio

Calle Carlos Pellegrini

Calle Viamonte

Calle Tucuman

Calle Lavalle

Calle Florida

Avenida

Corrientes

TEATRO ÓPERA

▶ **Escribe.** Start at the Obelisco and choose a new destination. Trace your route on the map with a different color and describe it. Use the past tense.

_____
_____
_____
_____
_____

42 ¿Cómo llego al Teatro Colón?

▶ **Lee y elige.** You are meeting a friend at the Teatro Colón in Buenos Aires. He writes you an e-mail with driving directions. Read it, then circle the word or phrase that best completes each sentence below.

¡Hola!

Desde tu hotel hasta el Teatro Colón tienes que tomar la avenida Leandro Alem. Sigue recto 2 kilómetros hasta la avenida Córdoba. Allí, dobla a la derecha y sigue recto. Vas a pasar por un hospital, una iglesia y un museo, y vas a llegar a una avenida muy ancha dividida en tres calles. Cruza la calle Carlos Pellegrini, la avenida 9 de Julio y dobla a la izquierda en la calle Cerrito. El Teatro Colón está muy cerca.

Yo te espero en el Café Petit Colón, al lado del teatro. Un beso.

1. Para llegar al Teatro Colón vas a tener que...

    a. cruzar dos calles   b. pasar por un café   c. caminar más de 2 km

2. En la avenida Córdoba hay que...

    a. doblar a la izquierda   b. seguir recto 2 km   c. doblar a la derecha

3. En la avenida ancha hay...

    a. una iglesia   b. tres calles   c. dos calles

4. El Teatro Colón está...

    a. en la avenida 9 de Julio   b. en la calle Cerrito   c. en la calle Colón

5. Tu amigo te va a esperar en un...

    a. museo   b. teatro   c. café

▶ **Escribe.** Write the directions going back to the hotel from the Teatro Colón.

_____

_____

_____

_____

_____

Nombre: .... **Fecha:** ....

43 **Un viaje inolvidable**

▶ **Responde.** Answer the questions to describe a trip you or someone else took. Remember to use time expressions in the past.

1. ¿Cuándo saliste?   3. ¿Qué visitaste?   5. ¿Cómo fue el viaje?

2. ¿Cómo fuiste?   4. ¿Qué comiste o bebiste?   6. ¿Cuántas personas fueron?

1. _____

2. _____

3. _____

4. _____

5. _____

6. _____

44 **De viaje**

▶ **Observa y escribe.** Look at the pictures and write captions about each one. Say where each person went, how they traveled, and what they did or visited there. Use the preterite tense.

A

Ellos fueron a la playa, viajaron en avión y comieron en un café.

C

Yo... _____

_____

_____

B

Tú... _____

_____

_____

D

Nosotros... _____

_____

_____

45 **La historia del Tren a las nubes**

▶ **Escribe.** Using the information below, write sentences about the construction of the *Tren a las nubes*. Use preterite tense forms.

1889	El ingeniero Abd El Kader / presentar el estudio
1921	El presidente Irigoyen / aceptar el proyecto
1921	El ingeniero Fountain Maury / dirigir el proyecto
1921-48	Los trabajadores / preparar los rieles (*tracks*) y los puentes
1948	El tren / unir Chile y Argentina

1. El ingeniero Abd El Kader presentó el estudio en 1889. _____

2. _____

3. _____

4. _____

5. _____

46 **Consejos para la excursión**

▶ **Escribe.** Use affirmative or negative command forms of the verbs in the box to give advice to a friend before he leaves for a group excursion to the mountains.

llevar ropa cómoda	_____
ser antipático con el guía	No seas antipático con el guía.
beber agua	_____
comer muchos dulces	_____
ir lejos del grupo	_____
escuchar al guía	_____

Nombre: .... **Fecha:** ....

47 **Compartir experiencias**

▶ **Lee y escribe.** Answer your friend's questions about your experiences
in each place. Suggest what he or she should and shouldn't do on
a future trip there.

Tren a las nubes.

Cataratas del Iguazú.

Santa Rosa.

Plaza de Mayo.

¿Cómo fue el viaje en
el Tren a las nubes?

¿En Santa Rosa
corriste en el maratón
A Pampa Traviesa?

¿Cómo llegaste a las
Cataratas del Iguazú?

¿Qué viste en
la Plaza de Mayo?

_____
_____
_____
_____
_____
_____
_____
_____
_____
_____
_____
_____

48 La Pampa

▶ **Lee y contesta.** Read this article and answer the questions in complete sentences.

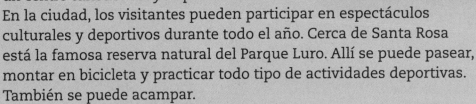

La provincia de La Pampa

La Pampa es una provincia argentina situada en el centro del país. Tiene 143.440 km² y una población de unos 300.000 habitantes.

La capital de La Pampa es Santa Rosa, un centro turístico muy importante. En la ciudad, los visitantes pueden participar en espectáculos culturales y deportivos durante todo el año. Cerca de Santa Rosa está la famosa reserva natural del Parque Luro. Allí se puede pasear, montar en bicicleta y practicar todo tipo de actividades deportivas. También se puede acampar.

La Pampa es famosa por la imagen del gaucho. Los gauchos trabajan con el ganado (*cattle*) y son expertos jinetes (*horsemen*). Viven en la pampa argentina y también en países como Uruguay, Chile o Brasil.

1. ¿En qué parte de Argentina está la provincia de La Pampa?

_____

2. ¿Cuál es la ciudad principal de la provincia de La Pampa?

_____

3. ¿Puedes hacer cámping en la reserva natural del Parque Luro?

_____

4. ¿Cómo se llama el equivalente al *cowboy* americano?

_____

49 Argentina y los Estados Unidos

▶ **Relaciona.** Match Argentinian landmarks from column A with similar American landmarks from column B.

Ⓐ	Ⓑ
1. Casa Rosada	a. Niagara Falls
2. Cataratas del Iguazú	b. Texas
3. La Pampa	c. National Mall, Washington DC
4. Plaza de Mayo	d. The White House

El juego del conocimiento

Nombre: .... **Fecha:** ....

Can you trace a route through the squares to write a coherent composition?
Use a colored pencil. Use the meaning, verb tenses, and time expressions to guide you.
There may be more than one correct route!

1 Mañana _____ La semana pasada	**2** fui _____ voy	**3** en tren _____ en avión	**4** desde Buenos Aires _____ hasta La Pampa	**5** hasta La Pampa. _____ desde Buenos Aires.
6 El viaje	**7** es _____ fue	**8** difícil _____ fácil	**9** porque	**10** mi familia y yo _____ mis padres
11 reservamos _____ perdieron	**12** mi pasaporte. _____ los billetes.	**13** Después	**14** los encontró _____ compramos	**15** un plano. _____ un policía.
16 Por la mañana _____ Siempre	**17** todos fuimos _____ vamos	**18** a pasear. _____ a comprar recuerdos.	**19** Ayer por la tarde _____ Hoy	**20** reservamos _____ visitamos
21 una iglesia _____ una habitación	**22** en un buen hotel _____ cerca de la plaza	**23** y corrimos en _____ y comimos en	**24** un café _____ A Pampa Traviesa.	**25** ¡Ahora a casa! _____ ¡Luego a casa!

Cultura

Un concurso

Answer these questions to see which prize you can potentially win in this contest. Each correct answer will earn you ten points.

Preguntas

1. ¿Cuál es la capital de Argentina?

   _____

2. ¿De qué ciudad sale el Tren a las nubes?

   _____

3. ¿Cómo se llama el metro en Buenos Aires?

   _____

4. ¿Cómo se llama el maratón más famoso de Santa Rosa?

   _____

5. ¿Entre qué tres países están las cataratas del Iguazú?

   _____

6. ¿Cuál es la plaza principal de Buenos Aires?

   _____

7. ¿Cómo se llama el palacio presidencial de Buenos Aires?

   _____

8. ¿Cómo se llaman los *cowboys* argentinos?

   _____

9. ¿Cuál es el baile típico de Argentina?

   _____

10. ¿En qué ciudad está el barrio de La Boca?

    _____

Respuestas correctas = _____

Total de puntos = _____

Premios

De 0 a 20 puntos:

un sombrero de gaucho

De 20 a 40 puntos:

un CD de tangos

De 40 a 70 puntos:

un bolso o una mochila de cuero

De 70 a 100 puntos:

un billete de avión a Argentina

Nombre: _____   Fecha: _____

DE VUELTA A LOS ANDES

1 **Un país muy interesante**

▶ **Ordena y escribe.** Unscramble the words in parentheses and write them in the blanks.

A

El (udraoc) _____ lo pintó
un gran (tirsata) _____ .

C

Es importante (crerilca)
_____
el papel y el (topicáls)
_____ .

B

Este (ratanóm) _____
no va por el (sitodere) _____ .
Va por calles y escaleras.

D

Estas (stateusa) _____
son (sorneme) _____ .

2   No todos los moáis son falsos

▶ **Elige.** Mark if these sentences are true (*C*) or false (*F*).

1. Un maratón es una carrera corta.	C	F
2. Los moáis son estatuas grandes.	C	F
3. Pablo Neruda pintó un cuadro de su esposa.	C	F
4. Hay que reciclar las botellas de plástico.	C	F
5. En Chile hay desiertos.	C	F

3   Pablo Neruda

▶ **Lee y completa.** Complete the article on Pablo Neruda. Use the preterite tense of the verbs in the box.

escribir	ser	ganar	empezar ✓	nacer	viajar

El poeta Pablo Neruda

Pablo Neruda _____ en el sur de Chile el 12 de julio de 1904. En 1924 _____ su primer libro de poemas: *Veinte poemas de amor y una canción desesperada*. El libro _____ muy famoso.

En 1927, Neruda __empezó__ su trabajo como diplomático. _____ por muchos países.

En 1971, Pablo Neruda _____ el Premio Nobel de Literatura.

EXPRESIONES ÚTILES

4   ¡Cuántas actividades!

▶ **Relaciona.** Match each sentence in column A with an expression in column B.

Ⓐ	Ⓑ
1. What you tell a friend before taking a test.	a. ¡Cuántas rocas!
2. You find a price to be excessive.	b. ¡Qué impresionante!
3. An athlete beats a world record.	c. ¡Suerte!
4. The desert is full of rocks.	d. ¡Cuánto dinero!

Nombre: ....   **Fecha:** ....

EL UNIVERSO

el sistema solar	*solar system*	el cielo	*sky*
el universo	*universe*	el cometa	*comet*
el Sol	*Sun*	el eclipse	*eclipse*
la Luna	*Moon*	la estrella	*star*
la Tierra	*Earth*	el planeta	*planet*

el/la astronauta	*astronaut*
descubrir	*to discover*
explorar	*to explore*

> Yo voy a **explorar** la **Luna** en el futuro.

---

5 **Crucigrama espacial**

▶ **Lee y completa.** Read the definitions and complete the crossword puzzle.

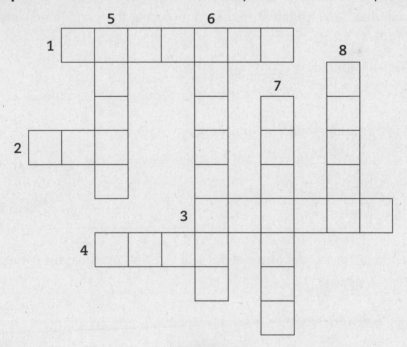

HORIZONTAL

1. Cuando la Luna está delante del Sol.
2. La estrella más importante del sistema solar.
3. Nuestro planeta.
4. El satélite de la Tierra.

VERTICAL

5. Donde están las estrellas.
6. La Tierra, Marte y Júpiter son algunos.
7. Halley los descubrió, pero no son asteroides.
8. El sistema donde están el Sol y sus planetas.

6 **En el sistema solar**

▶ **Lee y elige.** Read the sentences and choose the missing word.

1. Cuando la Luna está entre el Sol y la Tierra, se produce un _____

    a. cometa   b. eclipse   c. cielo   d. solar

2. La estrella más cercana a la Tierra es _____

    a. la Luna   b. el Sol   c. Marte   d. Júpiter

3. El planeta más grande del sistema solar es _____

    a. la Tierra   b. Marte   c. el Sol   d. Júpiter

4. Los planetas giran alrededor del _____

    a. universo   b. cielo   c. cometa   d. Sol

5. El Sol y sus planetas son parte del _____

    a. eclipse   b. sistema solar   c. planeta   d. cielo

7 **No es cierto...**

▶ **Lee y escribe.** Rewrite the statements replacing the underlined words to make them true.

1. La Tierra y Marte son cometas.

   No es cierto. La Tierra y Marte son... _____

2. Los astronautas exploran el océano.

   _____

3. Marte es una estrella.

   _____

4. Cuando la Tierra está entre el Sol y la Luna se produce un cometa.

   _____

   _____

▶ **Escribe.** Write facts that you know about these topics.

1. La Tierra _____

2. El sistema solar _____

3. El Sol _____

4. Los astronautas _____

Nombre: ....   **Fecha:** ....

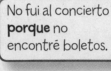

No fui al concierto **porque** no encontré boletos.

> **EXPRESAR CAUSA**
>
> Conjunción **porque** + oración con verbo conjugado:
> –¿Por qué no puedes ir?
> –No puedo ir **porque** estoy enferma.
>
> Conjunción **por** + nombre:
> No fuimos **por** el mal tiempo.

8 **Razones para mis preferencias**

▶ **Escribe.** Rewrite the sentences using *porque* to introduce a reason. Conjugate the underlined verbs as well.

1. Me gusta Chile / <u>tener</u> montañas

   Me gusta Chile porque tiene montañas.

2. Me gusta el chocolate / <u>ser</u> dulce

   _____

3. No me gusta el verano / <u>hacer</u> mucho calor

   _____

4. No me gusta ir de compras / <u>ser</u> aburrido

   _____

5. No me gusta ver la televisión / no <u>ser</u> divertido

   _____

6. Me gusta mi ciudad / <u>tener</u> playa

   _____

7. Me gusta mirar al cielo / <u>ser</u> muy bonito

   _____

8. Me gustan los museos / <u>tener</u> cosas interesantes

   _____

9 **Lugares famosos en Chile**

▶ **Lee y completa.** Look at these pictures of famous places in Chile and complete the captions with *por* or *porque*.

1. El desierto de Atacama está en el norte. Es muy seco y árido _____ casi nunca llueve.

4. La Patagonia está en el sur y es famosa _____ sus glaciares.

2. Viña del Mar es famosa _____ su festival de música.

5. La Isla de Pascua es famosa _____ sus misteriosos moáis.

3. Valparaíso es famosa _____ allí nació el poeta Pablo Neruda.

6. Antofagasta es importante _____ hay minas de cobre (*copper mines*).

▶ **Escribe.** Write about three reasons why your state is famous. Use *por* or *porque*.

_____

_____

_____

Nombre: ....   **Fecha:** ....

10 **¿Qué hay en el universo?**

▶ **Lee y elige.** Read the text and mark if the statements below are true (C) or false (F).

El universo

En el universo hay estrellas, planetas y satélites.

- Las **estrellas** tienen luz propia. Pueden ser pequeñas o muy grandes. Un ejemplo de estrella es el Sol. El Sol está en el centro del sistema solar. Da luz y calor a la Tierra y a otros astros.

- Los **planetas** giran alrededor de las estrellas. En el sistema solar hay ocho planetas que giran alrededor del Sol: Mercurio, Venus, la Tierra, Marte, Júpiter, Saturno, Urano, y Neptuno. Mercurio es el planeta que está más cerca del Sol y Neptuno es el más lejano.

  La Tierra tiene el 71 % de la superficie cubierta de agua. Se llama también «el planeta azul» por el color característico que vemos en las fotografías de la Tierra tomadas desde el espacio.

- Los **satélites** giran alrededor de los planetas. La Luna es el único satélite de nuestro planeta y gira alrededor de él.

---

1. La Tierra está en el centro del sistema solar.   C   F

2. El Sol es una estrella.   C   F

3. Mercurio es el planeta más grande del sistema solar.   C   F

4. La Tierra tiene muchos satélites.   C   F

5. La Tierra se llama «el planeta azul» por el color de su superficie.   C   F

11 Una tarde en el observatorio

▶ **Ordena y escribe.** Look at the pictures, read the definitions, and mark the number that corresponds to each one. Then unscramble the name and write it.

1. Este satélite gira alrededor de su planeta. _____ nuaL _____

2. Este planeta está rodeado por muchos satélites. _____ preJúti _____

3. No es un planeta, no es un satélite y no es una estrella. _____ emcota _____

4. Todos los planetas giran alrededor de él. __1__ lSo __Sol__

5. Este planeta está cerca de La Tierra. _____ ateMr _____

12 Mi planeta favorito

▶ **Escribe.** Choose one of the planets of the solar system, find information, and write three sentences about it.

_____

_____

_____

Nombre: _____   **Fecha:** _____

GEOGRAFÍA

Geografía	*Geography*	la montaña	*mountain*
el bosque	*forest*	el océano	*ocean*
el continente	*continent*	el río	*river*
el desierto	*desert*	la roca	*rock*
la isla	*island*	la tierra	*land*
el lago	*lake*	el valle	*valley*
el mar	*sea*		
		seco	*dry*
		tropical	*tropical*

No me gusta el clima **seco** de los **desiertos**.

13 Trivia geográfica

▶ **Lee y completa.** Read the captions and complete the questions.

desierto

océano

lago

isla

río

continente

1. ¿Cómo se llama el _____océano_____ que está al oeste de Chile?

2. ¿En qué _____ están España y Portugal?

3. ¿Cómo se llama la _____ donde están los moáis?

4. ¿Es el Mississippi el _____ más largo de los Estados Unidos?

5. Michigan es el nombre de un Estado y de un _____.

6. El Sahara es un _____.

14 Sopa de letras

▶ **Busca.** Find and circle the words that describe the pictures below.

E	R	I	S	L	A	S	L	Y	A	R
N	U	S	R	F	E	G	A	M	I	Í
O	I	I	V	H	U	B	T	I	T	O
K	F	C	O	C	É	A	N	O	R	T
Y	O	O	V	D	E	S	E	R	O	I
E	S	B	A	B	U	S	Q	U	L	P
B	T	H	L	V	I	S	L	R	A	O
N	A	I	L	C	O	N	T	I	G	L
I	E	D	E	S	I	E	R	T	O	L
O	T	O	A	B	O	S	Q	U	E	A
S	M	O	N	T	A	Ñ	A	I	O	V

15 La ropa y el clima

▶ **Lee y elige.** Underline the best option to complete each sentence.

Ropa para Chile

Si viajas por el sur de Chile, debes saber que en esa región hace frío porque está cerca del Polo Sur. Necesitas llevar *pantalones cortos/guantes*. En las playas de la costa debes usar *zapatos/sandalias* para estar cómodo(a). En las montañas, sin embargo, es mejor llevar *botas/zapatos*.

Si vas en verano a la Isla de Pascua, lleva *jersey/pantalones cortos* porque allí hace bastante calor. En el bosque tropical vas a necesitar ropa para la lluvia. Es mejor llevar *botas/sandalias*.

Nombre: ....　　**Fecha:** ....

EXPRESAR CANTIDAD. LOS INDEFINIDOS

ningún, ninguno(a)	no, (not) any
algún, alguno(a), algunos(as)	one, some, any, a few
poco(a), pocos(as)	some, few
mucho(a), muchos(as)	many, a lot of
todo(a), todos(as)	all, every, throughout

Before a masculine singular noun, use **algún** *or* **ningún**.

¿Tienes **algún** amigo chileno?

Ningún, ninguno, *and* **ninguna** *are used only in negative sentences.*

Hoy no hay **ninguna** estrella en el cielo.

Todo(a), todos(as) *are used as follows:* **todo** + *article* + *noun*

Hay estatuas en **toda** la isla.

No tengo **ningún** disco compacto de música clásica.

16 Los pingüinos chilenos

▶ **Elige.** Study the pictures and circle the appropriate word in italics.

En la foto de la izquierda hay *algunos / todos los / pocos* pingüinos blancos y negros. *Ninguno / Muchos / Algunos* están caminando. Pero *algunos / todos / pocos* saben nadar muy bien.

En la foto de la derecha hay *ningún / pocos / muchos* pingüinos. *Algunos / Ninguno / Todos* los pingüinos son altos: son los padres. *Todas las / Algunas / Pocas* crías tienen el cuerpo gris.

17 **No estoy de acuerdo**

▶ **Lee y escribe.** Rewrite the statements with the opposite indefinite adjective.

1. En Chile no hay ninguna isla.

   En Chile hay algunas islas.

2. Muchos chilenos estudian chino en la escuela secundaria.

   _____

3. En el refrigerador hay algunos refrescos fríos.

   _____

4. No tengo ninguna amiga en la clase de Historia Contemporánea.

   _____

5. Ningún profesor chileno sabe que la capital de Chile es Santiago.

   _____

6. Pocos estudiantes prefieren tener menos clases y más tiempo libre.

   _____

18 **¿Es cierto o falso?**

▶ **Lee y elige.** Read and think about your classmates. Mark if these statements are true (*C*) or false (*F*).

1. Todos mis compañeros de clase son rubios.   C   F
2. Algunos compañeros son mayores que yo.   C   F
3. No tengo ningún compañero bilingüe.   C   F
4. Muchos compañeros prestan atención al profesor.   C   F

▶ **Escribe.** Rewrite the statements that you think are false with the correct indefinite.

_____

_____

▶ **Escribe.** Write more sentences about your classmates using these indefinites.

| *muchos* | *todos* | *ningún* |

_____

_____

Nombre: _____   Fecha: _____

19 **¿Qué es importante para ti?**

▶ **Lee y responde.** Answer with a complete sentence. Include *porque* or *por* to explain your preference.

1. ¿Prefieres hacer deporte de equipo o individual?

_____

_____

2. Cuando preparas un examen, ¿prefieres estudiar solo(a) o con un(a) amigo(a)?

_____

_____

3. ¿Prefieres el invierno o el verano?

_____

_____

20 **¿Cuántos?**

▶ **Elige.** Circle the appropriate indefinite to describe the colored dots.

○●●●●	a. todos	b. muchos	c. ninguno
○●●●○	a. algunos	b. ninguno	c. pocos
○○○○○	a. pocos	b. todos	c. ninguno
○○●●○	a. pocos	b. ninguno	c. muchos
●●●●●	a. muchos	b. algunos	c. todos

▶ **Contesta.** Look at the picture and answer the questions in complete sentences.

1. ¿Hay muchas montañas?

_____

2. ¿Hay alguna isla?

_____

3. ¿Hay pocos árboles?

_____

21 **Informe geográfico de tu región**

▶ **Lee y escribe.** Read this general description of Chile. Then complete the chart for Chile and the state where you live.

Geografía de Chile

Chile es un país del continente americano. Está situado en el suroeste de América del Sur. Limita al oeste con el océano Pacífico, al norte con Perú y al este con Bolivia y Argentina. En Chile hay muchas islas. La más famosa es la Isla de Pascua.

Chile es un país muy largo, con más de 4.300 kilómetros de norte a sur. La cordillera de los Andes separa Chile de Argentina y tiene picos muy altos, como el volcán Ojos del Salado (6.895 metros).

Los paisajes de Chile son muy variados:

– El norte es la zona más seca. Allí está el desierto de Atacama.

– El Valle Central es una zona más verde y tiene ríos muy importantes, como el Aconcagua, el Copiapó o el Bío-Bío.

– En el sur hay muchas montañas, lagos y bosques. El lago más grande es el General Carrera. Y en esta zona hay grandes bosques y parques nacionales muy famosos, como el parque nacional Torres del Paine.

	CHILE	MI ESTADO
CONTINENTE	América	
OCÉANOS O MARES		
ISLAS		
RÍOS Y LAGOS		
MONTAÑAS		
DESIERTOS		
BOSQUES		

▶ **Escribe.** Write a brief description of your state similar to the one about Chile.

_____

_____

_____

_____

_____

_____

Nombre: ....   **Fecha:** ....

DIVISIONES POLÍTICAS

la capital	*capital*	el país	*country*
la ciudad	*city*	la provincia	*province*
la frontera	*border*	el pueblo	*town*
		la región	*region*

En mi **país** hay muchas **ciudades** y más de mil **pueblos**.

NÚMEROS DEL 101 AL 1000

ciento uno	101	doscientos	200	quinientos	500	ochocientos	800
ciento diez	110	trescientos	300	seiscientos	600	novecientos	900
ciento treinta y dos	132	cuatrocientos	400	setecientos	700	mil	1.000

22 **Geografía política de Chile**

▶ **Escribe.** Write each word below the appropriate picture.

país	provincia	capital	pueblo	ciudad	frontera

Chile

1. _____

3. _____

Santiago de Chile

5. _____

Valparaíso

2. _____

Huelquén

4. _____

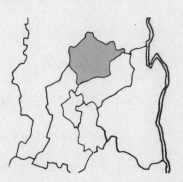

6. _____

23 **¡A deletrear los números!**

▶ **Resuelve y escribe.** Solve each math operation and spell out the number.

1. $(100 \times 3) + 125 =$ _Cuatrocientos veinticinco_

2. $76 + 200 + 124 =$ _____

3. $(500 + 700) - 110 =$ _____

4. $(200 \times 4) - 180 =$ _____

5. $1.500 - 173 =$ _____

6. $(500 - 130) + 2 =$ _____

24 **División política de Chile**

▶ **Lee y elige.** Read the text about Chile's political divisions and mark if the statements below are true (*C*) or false (*F*).

División política de Chile

Chile es un país que limita al norte con Perú, al este con Bolivia y Argentina, y al oeste con el océano Pacífico. El país se divide en quince regiones y cincuenta y cuatro provincias.

La capital es Santiago de Chile. Allí viven cinco millones de habitantes, el 36 % de la población total del país. Otras ciudades importantes son Valparaíso y Concepción, en las regiones de Valparaíso y Biobío, respectivamente.

En Chile hay lugares muy turísticos como San Pedro de Atacama, Iquique o Puerto Varas.

Panorámica de Santiago de Chile.

1. Hay fronteras entre Chile y Perú, y entre Argentina y Chile.   C   F

2. Hay menos de cincuenta provincias en Chile.   C   F

3. La ciudad más importante de Chile es Santiago de Chile.   C   F

4. Concepción está en la región de Biobío.   C   F

5. San Pedro de Atacama es una ciudad muy turística.   C   F

Nombre: _____   Fecha: _____

VERBOS IRREGULARES EN EL PASADO. DECIR Y HACER

DECIR					HACER				
yo	dije	nosotros nosotras	dijimos		yo	hice	nosotros nosotras	hicimos	
tú	dijiste	vosotros vosotras	dijisteis		tú	hiciste	vosotros vosotras	hicisteis	
usted él ella	dijo	ustedes ellos ellas	dijeron		usted él ella	hizo	ustedes ellos ellas	hicieron	

> No **dije** la verdad.
> No **hice** la tarea...

25 **¿Decir o hacer?**

▶ **Escribe.** Write sentences using the appropriate preterite tense form of the verbs.

1. ayer – hacer (tú) – la comida

_____

2. antes – decir (él) – su nombre a la secretaria

_____

3. el mes pasado – hacer (ustedes) – una excursión

_____

4. la semana pasada – decir (ellas) – que la fiesta es el sábado

_____

▶ **Completa.** Complete the sentences with the preterite of *decir* and *hacer*.

1. Pedro y Pepe no _____ la tarea.

2. Yo _____ ejercicio anoche.

3. Ana y yo _____ la verdad.

4. Tú no me _____ la verdad.

5. Luis _____: «Estoy cansado».

6. Nosotros _____ una cena deliciosa.

7. ¿Quién _____ planes para el viaje?

8. Carlos y Jaime _____ que el profesor llamó a sus padres.

26 **Ayuda al mesero**

▶ **Lee y escribe.** Read the information in the speech bubbles and write sentences using the appropriate preterite forms of *decir* and the present tense forms of *querer*.

1. 1 nosotros / unos refrescos
2. 2 tú / una sopa
3. 3 yo / un sándwich
4. 4 ellos / pollo con arroz
5. 5 Carla / una hamburguesa
6. 6 Rosa y yo / un café y un té

1. _Nosotros dijimos: «Queremos unos refrescos»._

2. _____

3. _____

4. _____

5. _____

6. _____

27 **¿Qué hicieron?**

▶ **Relaciona.** Decide what each person did or made for their holiday celebration last year. Link the three columns.

1. El día de San Valentín los novios	hice	a un postre
2. El día de San Patricio mi primo y yo	hiciste	b. una cena
3. El cinco de mayo mi tía	hizo	c. una fiesta en casa
4. El cuatro de julio yo	hicimos	d. un baile
5. El día de Acción de Gracias tú	hicieron	e. un viaje

Nombre: ....   **Fecha:** ....

VERBOS IRREGULARES EN EL PASADO. ESTAR Y TENER

ESTAR

yo	estuve	nosotros nosotras	estuvimos
tú	estuviste	vosotros vosotras	estuvisteis
usted él ella	estuvo	ustedes ellos ellas	estuvieron

TENER

yo	tuve	nosotros nosotras	tuvimos
tú	tuviste	vosotros vosotras	tuvisteis
usted él ella	tuvo	ustedes ellos ellas	tuvieron

¿**Estuviste** en la fiesta?

No. **Tuve** que trabajar.

---

28 **¿Dónde estuviste anoche?**

▶ **Responde.** Use complete sentences to answer the questions about what various people did last night.

1. ¿Dónde estuvieron ustedes? (el cine)

   Nosotros estuvimos en el cine.

2. ¿Dónde estuviste tú? (un concierto)

   Yo

3. ¿Dónde estuvieron Juan y María? (casa de sus abuelos)

4. ¿Dónde estuvo Pedro? (el teatro)

5. ¿Dónde estuvieron Álex y tú? (una fiesta)

6. ¿Dónde estuvo Lola? (su casa)

29 **Tuve que hacer tareas domésticas**

▶ **Relaciona.** Link the beginnings of the sentences in column A with the endings in column B.

Ⓐ

1. Él no fue a la fiesta
2. Yo no estudié
3. Nosotros no descansamos
4. Ellos no fueron al concierto
5. Usted no viajó a Chile
6. Tú no comiste en casa

PORQUE

Ⓑ

a. tuvieron que visitar a sus tíos.
b. no tuvo el pasaporte a tiempo.
c. no tuviste tiempo.
d. tuvo que preparar un examen.
e. tuvimos que trabajar.
f. tuve una cena familiar.

30 **Una noche sin dormir**

▶ **Lee y completa.** Read the text below and fill in the blanks with the most appropriate form of *tener* or *estar*.

estuvieron	tuviste	estuve	estuvimos	tuve	estuvo

Mis vacaciones en Chile

El verano pasado yo _____ en Chile. Mis amigos _____ allí antes y me dijeron que los paisajes de Chile son impresionantes.

Yo _____ que trabajar todo el año para poder hacer el viaje.

Durante mi visita a Chile conocí a un chico en la Patagonia.

Se llama Jorge. Jorge es muy simpático y _____ juntos durante una semana viajando por todo el país. En el desierto de Atacama pasamos una noche al aire libre. Allí hay muchos insectos y otros animales.

—¿_____ miedo anoche? —me preguntó Jorge.

—No, no lo tuve... ¡porque estuve sin dormir toda la noche!

Jorge me dijo que ¡él también _____ mirando las estrellas toda la noche!

Nombre: ....   **Fecha:** ....

31 Definiciones

▶ **Ordena y escribe.** Read the clues for ten words and numbers. Then unscramble and write them.

1. Lo es Santiago de Chile o Washington D.C. ptalica _____

2. 500 − 300 = tscoiensod _____

3. Más pequeño que una ciudad. olubep _____

4. 10 × 100 = lmi _____

5. Está entre dos países. roantfre _____

6. Valparaíso es una bella... idacud _____

7. 800 − 300 = esqintuino _____

8. Chile es un... sípa _____

32 Un sábado muy ocupado

▶ **Escribe.** Read Ana's list of tasks for last Saturday. Summarize what activities she did or didn't do.

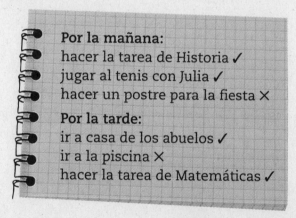

Por la mañana:
hacer la tarea de Historia ✓
jugar al tenis con Julia ✓
hacer un postre para la fiesta ✗

Por la tarde:
ir a casa de los abuelos ✓
ir a la piscina ✗
hacer la tarea de Matemáticas ✓

El sábado pasado, por la mañana Ana _____

_____ y _____ ,

pero no _____ .

Por la tarde, Ana _____ y _____

_____ , pero no _____ .

33 **¿Cuánto tuvieron que pagar?**

▶ **Lee y escribe.** Read the information about where different people spent their last vacations and how much money they had to pay for their lodging. Then write complete sentences summarizing the information.

¿QUIÉN?	¿QUÉ ALOJAMIENTO?	¿DÓNDE?	¿CUÁNTO?
Tú	un cámping	la montaña	$ 110/una semana
Ángela	un hotel	la playa	$ 600/8 días
Pedro y yo	un apartamento	la ciudad	$ 240/3 días
Lupe y Gracia	un crucero	el mar Caribe	$ 530/5 días
El señor Pérez	un hostal	un pueblo	$ 180/3 días

1. Tú estuviste en un cámping en la montaña. Tuviste que pagar ciento diez dólares por

   una semana.

2. _____

   _____

3. _____

   _____

4. _____

   _____

5. _____

   _____

▶ **Escribe.** Choose one of the photos. Using the same sentence structure as in the previous activity, write a paragraph about where you were, what you did and how much you had to pay for it.

_____

_____

_____

_____

_____

_____

_____

_____

Nombre: ....   **Fecha:** ....

LA NATURALEZA Y EL MEDIO AMBIENTE

el medio ambiente	*environment*	la flor	*flower*
la naturaleza	*nature*	la hoja	*leaf*
el agua	*water*	el insecto	*insect*
el aire	*air*	el pájaro	*bird*
el animal	*animal*	el pez	*fish*
el árbol	*tree*	la planta	*plant*

EL RECICLAJE

la basura	*trash*	botar	*to throw away*
el contenedor	*container*		
la electricidad	*electricity*	reciclar	*to recycle*
el metal	*metal*		
el papel	*paper*		
el plástico	*plastic*		
el vidrio	*glass*		

¿Oyes a los **pájaros**?

Sí. Hay muchos en este bosque.

---

34 **Los materiales en tu vida diaria**

▶ **Escribe.** What material(s) are these objects made of? Write sentences.

1. El cuaderno es de papel.

3. _____

5. _____

2. _____

4. _____

6. _____

35 **¿Cuánto tuvieron que pagar?**

▶ **Lee y relaciona.** Match each riddle with its corresponding photo.

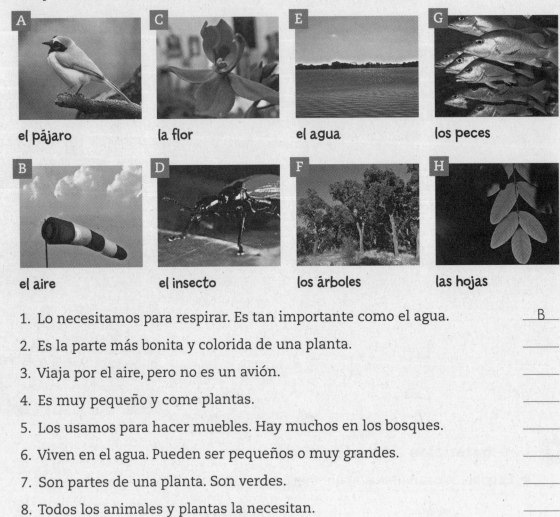

A el pájaro

C la flor

E el agua

G los peces

B el aire

D el insecto

F los árboles

H las hojas

1. Lo necesitamos para respirar. Es tan importante como el agua. _____B_____

2. Es la parte más bonita y colorida de una planta. _____

3. Viaja por el aire, pero no es un avión. _____

4. Es muy pequeño y come plantas. _____

5. Los usamos para hacer muebles. Hay muchos en los bosques. _____

6. Viven en el agua. Pueden ser pequeños o muy grandes. _____

7. Son partes de una planta. Son verdes. _____

8. Todos los animales y plantas la necesitan. _____

36 **¿Reciclar o botar a la basura?**

▶ **Clasifica.** Classify the words by their destination: a container for recycling or a garbage can.

| revistas | restos de carne | botellas de vidrio | ropa | zapatos viejos |
| latas de refrescos | piel (skin) de fruta | | tubos de pasta de dientes | |

Para reciclar	Para botar a la basura
_____	_____
_____	_____
_____	_____
_____	_____

Nombre: ....   Fecha: ....

EXPRESAR PERMISO Y PROHIBICIÓN

Expresar permiso

se puede + infinitivo

Se puede dar comida a los animales.

se puede(n) + infinitivo

Se puede(n) tomar fotos en el museo.

Expresar prohibición

no se puede + infinitivo

No se puede botar comida en el suelo.

no se puede(n) + infinitivo

No se puede(n) botar las botellas de vidrio a la basura.

¿**No se puede** jugar al baloncesto en este parque?

37 Proteger el medio ambiente

▶ **Elige.** Check your Environment I.Q. Mark if these statements are true (C) or false (F).

	C	F
1. Se puede dar comida a los animales en el zoo.	C	F
2. No se pueden botar botellas en el río.	C	F
3. Se pueden tener animales en peligro de extinción como mascotas.	C	F
4. Las botellas de plástico no se pueden reciclar.	C	F
5. No se puede cocinar con fuego en el campo.	C	F
6. No se puede estar más de una hora en la ducha.	C	F
7. Los objetos de vidrio no se pueden reciclar.	C	F
8. Se puede escuchar música muy alta después de las 11 de la noche.	C	F
9. Las computadoras se pueden botar a la basura.	C	F
10. No se puede pintar en las paredes de la escuela.	C	F

▶ **Escribe.** Write three things people can do to protect the environment.

Para proteger el medio ambiente, se puede... _____

_____

_____

_____

_____

38 Respetar las señales

▶ **Observa y escribe.** Write sentences to say what is or is not permitted in these places.

1. en la biblioteca

3. en la calle

5. en el parque

2. en la escuela

4. en el teatro

6. en el gimnasio

1. _No se puede comer en la biblioteca._____

2. _____

3. _____

4. _____

5. _____

6. _____

39 ¿Está prohibido?

▶ **Relaciona.** Match the expressions of permission or prohibition from column A with the sentences from column B.

Ⓐ

a. Se puede

b. Se pueden

c. No se puede

d. No se pueden

Ⓑ

1. Dormir en la escuela.

2. Usar el celular en el cine.

3. Tomar fotografías en la montaña.

4. Comprar refrescos en el cine.

5. Botar basura en la montaña.

6. Estudiar en la biblioteca de la escuela.

Nombre: ....   **Fecha:** ....

40 Un test sobre el reciclaje

▶ **Completa.** Complete this test about recycling.

¿SABES RECICLAR?

Completa este test y descubre cuánto sabes sobre el reciclaje.

1. ¿Se pueden reciclar todos los objetos que llevan este símbolo?

   Sí ☐   No ☐

2. ¿Se pueden botar las pilas a la basura?

   Sí ☐   No ☐

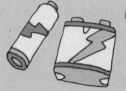

3. ¿Se pueden botar los electrodomésticos en el contenedor para reciclar el plástico?

   Sí ☐   No ☐

4. ¿Se pueden reciclar las bolsas de plástico?

   Sí ☐   No ☐

5. ¿Se pueden botar los envases de gel, champú o desodorante en el contenedor para reciclar el plástico?

   Sí ☐   No ☐

Resultados:

Suma dos puntos por cada respuesta correcta.

1. Sí. 2. No. Hay que reciclarlas. 3. No. Hay que llevarlos a un punto limpio. 4. Sí. 5. Sí.

41 **¿Se puede o no se puede?**

▶ **Relaciona y escribe.** Write these answers beneath the corresponding question below.

Sí, pero no se pueden tocar.

Sí, porque no se puede reciclar.

Sí, pero no se puede dejar basura en el suelo.

No, no se puede. Solo se puede ir a pie.

Sí, pero tienes que reciclar las botellas.

Sí, la puedes tirar en este contenedor.

1. ¿Se puede comer en el parque?

_____

2. ¿Se pueden tomar fotos de los animales?

_____

3. ¿Se puede reciclar esta botella?

_____

4. ¿Se puede botar esto a la basura?

_____

5. ¿Se pueden llevar refrescos al parque?

_____

6. ¿Se puede montar en bicicleta en el parque?

_____

42 **¿Tú reciclas?**

▶ **Responde.** Answer in complete sentences.

1. ¿Qué recicla tu familia en tu casa?

_____

2. ¿Botas papel, objetos de plástico o vidrio a la basura con frecuencia?

_____

3. En tu pueblo o ciudad, ¿dónde se pueden reciclar las computadoras?

_____

Nombre: .... Fecha: ....

43 Difícil elección

▶ **Lee y elige.** Read about Julio's family's vacation preferences and circle the appropriate choice for each member.

> **Las vacaciones de mi familia**
>
> En mi familia es muy difícil elegir un destino de vacaciones porque todos tenemos nuestras preferencias.
>
> A mi padre no le gusta la playa. Prefiere un lugar más fresco para caminar, hacer excursiones y ver paisajes espectaculares.
>
> A mi madre le gusta el sol y el mar, pero tiene miedo de viajar en coche y en avión.
>
> A Verónica, mi hermana pequeña, y a mí, nos gusta el campo. No nos gusta estar en un hotel o en un apartamento: preferimos estar en contacto con la naturaleza, cerca de un río o un lago, escuchando a los pájaros y observando a los insectos.
>
> Mis abuelos prefieren ir a la costa. A ellos les gustan las playas y el clima tropical.

1. El padre de Julio prefiere pasar las vacaciones en...

     a. un balneario   b. las montañas   c. el desierto

2. A la madre de Julio le gusta viajar...

     a. en taxi   b. en coche   c. en tren

3. Julio y su hermana prefieren pasar las vacaciones en...

     a. un cámping   b. la costa   c. la ciudad

4. A los abuelos de Julio les gustan...

     a. las montañas   b. las islas   c. los pueblos

▶ **Escribe.** Write a paragraph about your favorite destination for vacations and explain why.

_____

_____

_____

_____

44 Diálogos incompletos

▶ **Completa.** Complete the speech bubbles with the words in the box.

porque	ningún	Qué	Cuánta	algún	por

1 ¡_____ gente!

4 No puedo ir de excursión _____ la lluvia.

2 Yo voy a ser astronauta _____ quiero explorar el universo.

5 ¡_____ impresionante!

3 En este parque no hay _____ lago.

6 ¿Hay _____ pez en este río?

45 ¿Ayer fue un día especial?

▶ **Responde.** Answer in complete sentences about your day yesterday. Use the appropriate indefinite in your answers.

1. ¿Dijiste alguna palabra fea? _____

2. ¿Hiciste todas las tareas? _____

3. ¿Tuviste algún problema? _____

4. ¿Estuviste con algunos amigos? _____

Nombre: .... Fecha: ....

46 Hacer turismo en Chile

▶ **Lee y completa.** Use your knowledge of Chile to complete this ad by filling in the blanks with the appropriate word.

| cielo | océano | bosques | capital | seco | país | continente | isla |

¡Visita Chile!

Si quieres hacer un viaje fantástico ven a Chile, en el sur del _____ americano.

En el norte se puede visitar el famoso desierto de Atacama. Es un lugar muy _____ porque nunca llueve, pero tiene unos paisajes impresionantes. Y por la noche puedes ver muchas estrellas y muchos cometas porque el _____ es muy limpio.

En el centro se encuentra Santiago, la _____ de Chile. Es una ciudad muy turística.

En el oeste, en el _____ Pacífico, está la _____ de Pascua, con sus misteriosos moáis.

En el sur está el Parque Nacional Torres del Paine. Allí hay grandes _____ con árboles, plantas, flores y muchos animales.

¡Chile es un _____ maravilloso!

47 Actividades en Chile

▶ **Escribe.** Write the names of the places in Chile where you can do the following activities.

| la Isla de Pascua | el desierto de Atacama | Valparaíso | Santiago de Chile |

Si quieres conocer La Chascona, la casa museo de Pablo

Neruda, tienes que ir a _____.

Si quieres ver el Valle de la Luna, debes ir a

_____.

Si quieres participar en el Maratón de las Escaleras,

tienes que ir a _____.

Para tomar fotos de los moáis, ve a

_____.

48 ¿Es así Chile?

▶ **Corrige.** Read the statements, find the mistakes, and correct the false sentences.

1. Chile es un continente muy estrecho y largo. Su capital es Valparaíso.

_____

2. En el norte de Chile está el desierto de Atacama, un lugar muy seco.

_____

3. Chile tiene un clima similar al de California.

_____

4. En la Isla de Pascua hay unas estatuas grandes y misteriosas.

_____

5. La Chascona, casa museo de Neruda, está en Santiago de Chile.

_____

6. La Isla de Pascua está en el océano Pacífico.

_____

El juego del conocimiento

Nombre: .... **Fecha:** ....

Write the word that describes each picture. Then classify those that are cognates in box A and those that are not in box B. Write their English translations.

▶ DESAFÍO 1

_____	_____	_____	_____

▶ DESAFÍO 2

_____	_____	_____	_____

▶ DESAFÍO 3

_____	_____	_____	_____

▶ DESAFÍO 4

_____	_____	_____	_____

A. Cognados		B. No cognados	
Español	**Inglés**	**Español**	**Inglés**
insecto	insect	hoja	leaf

Answer these questions.

1. ¿Cuál es la capital de Chile?

   _____

2. ¿En qué parte de Chile está el desierto de Atacama, en el norte o en el sur?

   _____

3. ¿Qué lengua se habla en la Isla de Pascua, además del español?

   _____

4. ¿En qué parte de Chile está el Parque Nacional Torres del Paine, en el norte o en el sur?

   _____

5. ¿Cuál es la moneda de Chile?

   _____

CRÉDITOS FOTOGRÁFICOS

Cubierta C. Díez Polanco; S. Enríquez; Sylvain Grandadam/A. G. E. FOTOSTOCK; I. Preysler/Atrezzo: Helen Chelton; ISTOCKPHOTO; **Contracubierta** Pat Canova, Luis Castañeda/A. G. E. FOTOSTOCK; Alfio Garozzo, Robert Harding/Michael Busselle/CuboImages/CORDON PRESS; **001** I. Preysler/Atrezzo: Helen Chelton; **007** S. Enríquez; **008** Christian Handl/A. G. E. FOTOSTOCK; **009** PHOTODISC/SERIDEC PHOTOIMAGENES CD; Prats i Camps; INS Pradolongo, Madrid/S. Enríquez; **010** COMSTOCK; **011** ISTOCKPHOTO; Prats i Camps; **012** Prats i Camps; **013** MATTON-BILD; **015** Juan Martín/EFE; **017** J. Jaime; MATTON-BILD; IES Carrús. Elche. Alicante/Prats i Camps; **018** Prats i Camps; **019** COMSTOCK; **020** Prats i Camps; **021** COMSTOCK; **023** Paul Romane/SYGMA/CONTIFOTO; ISTOCKPHOTO; Prats i Camps; AbleStock.com/HighRes Press Stock; **025** STOCK PHOTOS; **029** Prats i Camps; S. Enríquez; **031** A. G. E. FOTOSTOCK; FOTONONSTOP; AbleStock.com/HighRes Press Stock; **033** SERIDEC PHOTOIMAGENES CD; **035** HighRes Press Stock; Alberto Martín, Armando Arorizo, J. L. Pino, John Watson-Riley, Marcos Delgado, Mario Guzmán/EFE; **037** S. Enríquez; SERIDEC PHOTOIMAGENES CD; **039** SERIDEC PHOTOIMAGENES CD; **040** José Flores, Joshua Gates Weisberg/EFE; **041** SERIDEC PHOTOIMAGENES CD; **045** J. Jaime; **047** CENTRAL STOCK/SERIDEC PHOTOIMAGENES CD; **049** SERIDEC PHOTOIMAGENES CD; **051** SERIDEC PHOTOIMAGENES CD; **053** ISTOCKPHOTO; **055** SERIDEC PHOTOIMAGENES CD; **059** C. Díez Polanco; ISTOCKPHOTO; AbleStock.com/HighRes Press Stock; **061** C. Díez Polanco; akg-images/ALBUM; Isaac Esquivel/EFE; AbleStock/Jupiterimages; **062** José Fuste Raga, World Pictures/Phot/A. G. E. FOTOSTOCK; **065** ISTOCKPHOTO; Prats i Camps; S. Padura; John Lund/Drew Kelly/A. G. E. FOTOSTOCK; **067** Prats i Camps; **069** Prats i Camps; **070** Glowimages/Getty Images Sales Spain; **071** Prats i Camps; Franz Marc Frei/LOO/A. G. E. FOTOSTOCK; **075** Prats i Camps; **077** Prats i Camps; **078** Prats i Camps; **079** Prats i Camps; **081** ISTOCKPHOTO; **083** COMSTOCK; I. Preysler/Atrezzo: Helen Chelton; ISTOCKPHOTO; Prats i Camps; **085** Prats i Camps; **087** Prats i Camps; **091** ISTOCKPHOTO; Prats i Camps; **093** Prats i Camps; **094** ISTOCKPHOTO; Prats i Camps; **099** C. Díez Polanco; Kevin Schafer, Michele Falzone/A. G. E. FOTOSTOCK; **100** ISTOCKPHOTO; A. Bello/Getty Images Sales Spain; SANTILLANA PUERTO RICO; **103** Prats i Camps; Bill Bachmann, Image Source for Hola/CORDON PRESS; **105** Plattform/Getty Images Sales Spain; **107** J. Jaime; **109** Joson/CORBIS/CORDON PRESS; **113** Prats i Camps; **114** Art Vandalay/Getty Images Sales Spain; **115** CORDON PRESS; **116** ISTOCKPHOTO; **119** Charlotte Nation/Getty Images Sales Spain; **121** FOTONONSTOP; ISTOCKPHOTO; **123** J. Soler; **124** CORDON PRESS; ISTOCKPHOTO; **126** ISTOCKPHOTO; Gallo Images-Anthony Strack/Getty Images Sales Spain; Jose Luis Pelaez, Inc./Blend Images/Corbis, Image Source/CORDON PRESS; **127** CORBIS/CORDON PRESS; **129** Tim McGuire/Getty Images Sales Spain; **130** ISTOCKPHOTO; **134** I. Preysler/Atrezzo: Helen Chelton; **135** FUNDACIÓN SANTILLANA; SEIS x SEIS; Thomas Marent/Minden Pictures/A.S.A.; **139** Prats i Camps; **140** Zak Kendal/FOTONONSTOP; **141** I. Preysler/Atrezzo: Helen Chelton; ISTOCKPHOTO; J. Jaime; MATTON-BILD; AbleStock.com/HighRes Press Stock; Anthony Strack/Gallo Images/Getty Images Sales Spain; **142** A. Toril; **143** ISTOCKPHOTO; **145** Prats i Camps; **149** Prats i Camps; **151** S. Enríquez; **152** AbleStock.com/HighRes Press Stock; **155** Prats i Camps; **156** I. Preysler/Atrezzo: Helen Chelton; Prats i Camps; STOCKBYTE/SERIDEC PHOTOIMAGENES CD; Purestock/A. G. E. FOTOSTOCK; **157** Prats i Camps; **159** Prats i Camps; **163** Gustavo Andrade/A. G. E. FOTOSTOCK; **164** ISTOCKPHOTO; **165** Prats i Camps; **168** F. Ontañón; I. Preysler/Atrezzo: Helen Chelton; MATTON-BILD; Charlie Abad, Mauritius/FOTONONSTOP; **171** I. Preysler/Atrezzo: Helen Chelton; ISTOCKPHOTO; FOODCOLLECTION/A. G. E. FOTOSTOCK; **175** A. G. E. FOTOSTOCK; I. Preysler/Atrezzo: Helen Chelton; ISTOCKPHOTO; **177** ISTOCKPHOTO; **180** I. Preysler/Atrezzo: Helen Chelton; **182** V. Domènech; **183** GARCÍA-PELAYO/Juancho; C. Pérez; I. Preysler/Atrezzo: Helen Chelton; J. Jaime; P. Esgueva; Photos.com Plus/Getty Images Sales Spain; **185** Prats i Camps; **189** ISTOCKPHOTO; KAIBIDE DE CARLOS FOTÓGRAFOS; **191** ISTOCKPHOTO; **192** I. Preysler/Atrezzo: Helen Chelton; **193** AbleStock.com/HighRes Press Stock; **197** COVER; **198** ISTOCKPHOTO; JOHN FOXX IMAGES/SERIDEC PHOTOIMAGENES CD; S. Enríquez; AbleStock.com/HighRes Press Stock; Kane Skennar/Digital Vision/Getty Images Sales Spain; **199** ISTOCKPHOTO; **200** I. Preysler/Atrezzo: Helen Chelton; MATTON-BILD; **202** ISTOCKPHOTO; J. Jaime; Maximilian Stock Ltd./A. G. E. FOTOSTOCK; **204** MATTON-BILD; **205** A. Guerra; GARCÍA-PELAYO/Juancho; S. Padura; Adam Woolfitt/A. G. E. FOTOSTOCK; **206** GARCÍA-PELAYO/Juancho; M. Sánchez; J. Martin/MUSEUM ICONOGRAFÍA; S. Padura; **209** COVER; ISTOCKPHOTO; STOCK PHOTOS; **211** Photos.com Plus/Getty Images Sales Spain; **213** ISTOCKPHOTO; Prats i Camps; **214** MATTON-BILD; AbleStock.com/HighRes Press Stock; Denkou Images/ACI AGENCIA DE FOTOGRAFÍA; Photos.com Plus/Getty Images Sales Spain; **215** Bruce Laurance, Purestock/Getty Images Sales Spain; **217** Prats i Camps; **219** ISTOCKPHOTO;